Cuentos de terror

Segunda edición

Joseph Leridan Le Fanu

Washinton Irving

Edgar Allan Poe

Bram Stoker

Guy de Maupassant

Editorial Popular

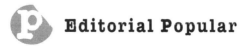

9/12

En esta misma colección.–

1.	Historias de la gente	34.	Cuentos astutos
2.	Relatos fantásticos latinoamericanos 1	35.	Cuentos árabes
3.	Relatos fantásticos latinoamericanos 2	36.	Cuentos andinos
4.	Cuentos fantásticos de ayer y hoy	37.	Cuentos divertidos
		38.	Viajes inciertos
5.	Relatos de hace un siglo	39.	Relatos de amor y muerte
6.	Cuentos del asfalto	40.	Historias de la escuela
7.	Aventuras del Quijote	41.	Cuentos medievales
8.	Cuentos perversos	42.	Cuentos modernistas
9.	Cuentos de amor con humor	43.	Historias con nombre de mujer
10.	Relatos de mujeres (1)	44.	Relatos subterráneos
11.	Relatos de mujeres (2)	45.	Cuentos rusos
12.	Fantasmagorías y desmadres	46.	Historias de Madrid
13.	Relatos a la carta	47.	Cuentos melancólicos
14.	Cuentos confidenciales	48.	Cuentos japoneses
15.	Cuentos de taberna	49.	Relatos de la tierra y del entorno
16.	Cuentos de la calle de la Rúa	50.	Cuentos cubanos
17.	Cuentos a contratiempo	51.	Cuentos sorprendentes
18.	Personajes con oficio	52.	Cuentos ecuatorianos
19.	Cuentos sobre ruedas	53.	Cuentos de terror
20.	Historias de perdedores	54.	Relatos de mujeres (3)
21.	Cuentos increíbles	55.	Cuentos dominicanos
22.	Cuentos urbanícolas	56.	Relatos de otro milenio
23.	Historias de amor y desamor	57.	Siete latinoamericanos en París
24.	Cuentos marinos	58.	Cuentos costarricenses
25.	Cuentecillos para el viaje	59.	Cuentos policiales
26.	Cuentos con cuerpo	60.	Historias extraordinarias
27.	Cuentos brasileños	61.	Cuentos galácticos
28.	Relatos inquietantes	62.	Cuentos catalanes
29.	Cuentos de la España Negra	63.	Cuentos crueles
30.	Historias de dos	64.	Cuentos panameños
31.	Los sobrinos del Tío Sam	65.	Cuentos hondureños
32.	Cuentos nicas	66.	Cuentos de las Dinastías Ming y Qing
33.	Cinco rounds para leer	67.	Cuentos impunes

serie maior

1. Con otra mirada. *Cuentos hispanos de los Estados Unidos*
2. Voces cubanas. *Jóvenes cuentistas de la Isla*
3. Allegro ma non troppo. *Cuentos musicales*
4. Cuentos del Islam
5. Afsaneh. *Cuentos iranies*
6. Luna Creciente. *Cuentos chinos contemporaneos*
7. El silencio en palabras. *Relatos del África francófona*
8. En la línea de la libertad. *Cuentos antifascistas*

PRESENTACIÓN

Un racimo de personajes y situaciones, creados por las más ardientes fantasías, desfilan por este conjunto de relatos de horror para encantarnos con sus aventuras y desventuras.

El género es tan antiguo como la escritura, pero adquiere cuerpo y sustancia en el XIX, para prolongarse en el XX y llegar hasta nuestros días. En sus más diversas facetas llega a todos los públicos y hay infinidad de lectores ávidos que en él encuentran diversión y gozo.

Escoger no ha sido tarea fácil. Nos asomamos a un menú tan diverso y extenso, que nos hemos visto obligados a no pocas renuncias. Esperamos haber sido certeros en la selección y puede que el lector se satisfaga con algunas presencias y añore algunas ausencias. No damos por cerrado el tema.

Abrimos el telón con *El asedio de la casa roja*, relato centrado en la mano de un misterioso personaje que perturba la vida de la casa de los Rosser. Una mano "pequeña pero bien formada, blanca y gordezuela". Conforme al estilo del más puro humor sajón, el terror se convierte en inesperado desenlace y el personaje causante de tan diversos pánicos, terminaba teniendo "amputada la mano derecha".

Le sigue Washington Irving, un veterano de la escritura. Aquí, en breves páginas, lo llega a demostrar. Baste recordar sus descripciones de personas ("era como una especie de vampiro literario, que se alimentaba de literatura muerta") o de ciudades ("París... aquel gran volcán de las pasiones humanas, dormía durante un rato"). Al final, un protagonista inesperado: la guillotina.

Poe es un maestro de la escritura de terror. Vuelve a demostrarlo en *El gato negro*. El relato empieza de forma sencilla, pero la historia va adquiriendo densidad y sorpresa, para terminar de la forma más inusitada. Todo es primera persona, el protagonista trenza continuamente acontecimientos y sentimientos. Un gran poder descriptivo, a pesar del desenlace que puede parecer un tanto absurdo.

Luego viene el gran Maupassant con *La vendetta*: original y cruel venganza, fruto de la desesperación y la impunidad. Argumento mínimo para unas páginas maestras en torno al odio y la ira.

Finalmente cerramos con Bram Stoker. El más extenso, el más complejo y tal vez el más completo es *La casa del juez*. Las ratas, la cuerda, la campana, el estudiante y el Juez, forman un conjunto diabólico y siniestro. Todo puede suceder en ese ambiente que se va cargando de misterio. "Allí, en la silla del Juez, con la cuerda colgando tras ella, se había instalado aquella rata que tenía la misma fúnebre mirada que éste, ahora diabólicamente intensa". Pero no nos adelantemos. Dejemos al lector que se acerque al texto.

¿Se puede, realmente, disfrutar del terror? ¿Es materia literaria la articulación de la sorpresa y el miedo? ¿Se puede desbordar de esta manera la fantasía? Usted, amigo lector, tiene la palabra.

MCB

EL ASEDIO A LA CASA ROJA

JOSEPH LERIDAN LE FANU

A mediados del siglo XVIII tuvo lugar un extraño litigio entre Mr. Harper, consejero municipal de la ciudad de Dublín y lord Castlemallard, tutor de lord Chattesworth durante su minoría de edad, a propósito de una casa conocida en la localidad como *La Casa Roja*, por tener el tejado de dicho color.

Mr. Harper alquiló la casa, para su hija, en enero de 1753. Como llevaba mucho tiempo deshabitada, mandó hacer las reparaciones necesarias y la amuebló, gastando sumas considerables en ponerla a punto.

La hija de Mr. Harper, que estaba casada con un tal Mr. Rosser, se instaló en su nuevo hogar en el mes de junio, pero aún no habían transcurrido tres meses, cuando la joven pareja, que en este tiempo se había visto obligada a cambiar de servicio varias veces, declaró que aquella casa era inhabitable.

Mr. Harper se entrevistó con lord Castlemallard para comunicarle que consideraba cancelados los compromisos adquiridos, puesto que en *La Casa Roja* sucedían acontecimientos extraños y desagradables. En otras palabras: la casa estaba embrujada y no se podían encontrar criados que estuviesen allí más de unas semanas. Mr. Harper añadió que, después de lo que sus hijos habían sufrido, consideraba no sólo que debía rescindirse el contrato de arrendamiento, sino que la casa entera debía demolerse, puesto que era la guarida de algo más terrorífico de lo que pueda ser el más peligroso de los malhechores.

Lord Castlemallard conminó a Mr. Harper, por vía legal, a cumplir el contrato; pero el consejero municipal contestó con un informe detallado de los acontecimientos, acompañado del testimonio de siete testigos y ganó la causa sin que las cosas fueran más lejos. Su Señoría prefirió capitular antes de llevar el asunto a los tribunales.

He aquí los hechos que Mr. Harper expuso en su informe:

Una tarde, hacia finales de agosto, al atardecer, Mrs. Rosser se hallaba, sola, en un saloncito que daba al huerto, situado en la parte posterior de la casa. Llevaba un rato cosiendo, sentada cerca de la ventana abierta, cuando, levantando la vista de su labor, vio claramente una mano que se posaba con precaución en el alféizar de la ventana, como si alguien, desde el huerto, tuviera intención de escalarla. Era una mano pequeña pero bien formada, blanca y gordezuela; una mano no muy joven ya, de alguien que rondara la cuarentena.

11

Unas semanas antes, en un castillo de los alrededores, hubo un robo envuelto en circunstancias particularmente horribles: los asesinos mataron a la dueña de la casa y quemaron gran parte del edificio y la policía aún no los había capturado. Mrs. Rosser pensó en el acto que la mano pertenecía a uno de los criminales que intentaba introducirse en *La Casa Roja*. Lanzó un grito estridente, aterrorizada, y la mano se retiró, aunque lentamente.

En seguida se llevó a cabo una minuciosa investigación en el huerto, sin hallar rastro del desconocido. Incluso se llegó a dudar, por un instante, de la realidad de lo que viera Mrs. Rosser, ya que debajo de la ventana había una fila de macetas que se hallaban en perfecto orden y nadie hubiera podido acercarse a la pared sin volcar alguna.

Aquella misma noche se oyeron en la ventana de la cocina unos golpecitos tenues, pero persistentes. Los criados se asustaron. Uno de ellos cogió un atizador y fue a abrir la puerta trasera. Por más que escrutó en la oscuridad no vio a nadie y, sin embargo, en el momento en que cerraba de nuevo, tuvo la impresión de que alguien golpeaba el batiente con el puño, como si intentase entrar a la fuerza en el interior. Se sintió aterrorizado y, aunque siguieron sonando los golpes en los cristales de la ventana de la cocina, no se atrevió hacer nuevas averiguaciones.

El sábado siguiente, hacia las seis de la tarde, la cocinera, mujer entrada en años, serena y sensata, estaba sola en la cocina. De pronto vio la misma mano, corta pero aristocrática, con la palma posada contra la ventana y moviéndose lentamente de arriba a abajo, como buscando cuidadosamente alguna irregularidad en la superficie del cristal. Al verla, la cocinera gritó y se puso a rezar, pero la mano tardó unos segundos en retirarse.

Durante las tardes siguientes se oyó de nuevo llamar a la puerta, suavemente al principio y después más fuerte, con el puño cerrado. El mayordomo se negaba a abrir y preguntaba en voz alta quién era, pero no obtenía más contestación que el ruido de una

12

mano deslizándose de derecha a izquierda, con un movimiento suave y vacilante.

Mr. y Mrs. Rosser, que pasaban la velada en el saloncito de atrás, oían también golpes en la ventana: unas veces discretos y furtivos, como si dieran una contraseña; otras fuertes y enérgicos, tanto que llegaban a temer que se rompieran los cristales.

Hasta entonces los ruidos sólo se producían en la parte trasera de la casa, que, como se sabe, daba al huerto. Pero un martes por la noche, hacia las nueve y media, los golpes se oyeron en la puerta principal. Duraron dos horas, para desesperación de Mr. Rosser, cuya esposa estaba aterrorizada.

13

Luego pasaron muchos días con total normalidad y ya todo el mundo empezaba a respirar tranquilo cuando, la noche del 13 de septiembre, se produjo un nuevo incidente en la despensa. La sirvienta entró a guardar una jarrita de leche. La despensa recibía luz y ventilación por un tragaluz en el cual había un agujero destinado a la abrazadera que sujetaba el postigo. Mirando distraídamente el tragaluz, la criada vio cómo se introducía por el agujero un dedo blanco y fofo, que se volvía hacia aquí y hacia allá, como buscando el pestillo, para abrirlo. De un solo salto llegó a la cocina, donde se desmayó y al día siguiente abandonó la casa para siempre.

Mr. Rosser tenía la cabeza muy firme y se preciaba de ser un espíritu fuerte; se reía de "la mano fantasma" y hacía burla del terror de su esposa. Estaba íntimamente convencido de que no se trataba más que de una superchería, de una broma de mal gusto y deseaba descubrir al culpable. No guardó su opinión para sí, sino que se la comunicó a todos, diciendo que el autor de la conspiración debía ser algún criado despedido.

Sin embargo, era hora ya de que se hiciese algo, porque los criados e incluso Mrs. Rosser, tan dulce y pacífica, empezaban a sentirse inquietos y disgustados. Ninguna de las mujeres se atrevía a andar sola por la casa después de la puesta del sol.

Una tarde, cuando los golpes llevaban más de una semana sin sonar, Mr. Rosser, que estaba trabajando en su despacho, oyó llamar suavemente a la puerta principal. La noche estaba muy tranquila, lo que permitía oír con toda claridad. Mr. Rosser abrió la puerta de su despacho y se deslizó por el vestíbulo, sin hacer ruido. La forma de llamar había cambiado un poco, ahora eran unos golpes suaves y regulares, dados con la palma de la mano contra la puerta. Mr. Rosser fue a abrir bruscamente pero se contuvo y, tomando las mismas precauciones de antes, se dirigió a una alacena donde guardaba los bastones, las espadas y las armas de fuego. Se metió una pistola en cada bolsillo y cogió un pesado garrote; llamó a un criado en el que tenía plena confianza y le dio un par de pistolas. Los dos hombres, armados hasta los dientes, se dirigieron a la puerta principal, sin hacer el menor ruido. Todo ocurrió como había previsto Mr. Rosser: el desconocido, lejos de asustarse por su proximidad, pareció sentirse más y más impaciente y los golpes arreciaron y se volvieron enérgicos.

Mr. Rosser abrió la puerta, furioso, impidiendo el paso con el brazo, armado con el garrote. No había nadie, pero sintió una fuerte sacudida en el brazo, dada con la palma de una mano y en seguida notó que algo se deslizaba por su costado. El criado, que no veía ni oía nada, no pudo comprender por qué su amo miraba hacia atrás, atónito, y empezaba a dar garrotazos en el vacío, mientras cerraba la puerta con la mano izquierda.

A partir de entonces, Mr. Rosser dejó de jurar y burlarse y empezó a sentir tanta aprensión como el resto de la familia. No estaba tranquilo, porque tenía la convicción de que al abrir la puerta había dejado entrar al enemigo invisible que los asediaba.

Aquella noche, Mr. Rosser, que no había dicho nada a su mujer, se retiró a su habitación más pronto que de costumbre. Antes de acostarse leyó algunas páginas de la Biblia y, cosa que no solía hacer, rezó. Permaneció despierto un buen rato y por fin, hacia las doce y cuarto, cuando empezaba a quedarse adormilado, oyó un ligero golpeteo en la puerta de su cuarto y luego el ruido de una mano deslizándose por el panel exterior.

Saltó del lecho aterrorizado y se acercó a la puerta, gritando: "¿Quién anda ahí?" Pero no hubo más respuesta que el ruido, que conocía tan bien, de una mano acariciando suavemente la puerta.

A la mañana siguiente, la criada, temblando de horror, descubrió la huella de una mano en el polvo de una mesa sobre la que habían desempaquetado diversos objetos el día anterior. Mr. Rosser fue a examinar la huella y fingió darle menos importancia de la que en realidad le atribuía; a pesar de lo cual hizo que todos los habitantes de la casa colocaran la mano derecha sobre la mesa. Así obtuvo la huella de todas las manos, incluída la de su mujer y la suya propia. La mano desconocida era distinta a todas y correspondía exactamente a la descripción que de ella habían hecho tanto Mr. Rosser como la cocinera.

Estaba claro que el dueño de la mano, quienquiera que fuese, se hallaba dentro de la casa. La nerviosidad general, que ya era grande, creció considerablemente.

Durante las noches siguientes Mrs. Rosser tuvo horribles pesadillas, que la hacían saltar de la cama bruscamente, lívida y temblorosa, pero que luego no podía explicar en qué consistían. Cuando se despertaba no recordaba más que una lucha atroz con algo que no podía describir. Y era posible que lo que ella consideraba pesadillas no fuera más que una enfermedad, física más que moral.

17

Una noche, cuando entraba en el dormitorio conyugal, Mr. Rosser se sintió atemorizado por el silencio absoluto que reinaba allí; tenía el oído muy fino y, sin embargo, no oía la respiración de su mujer, que se había acostado momentos antes.

Una vela encendida, colocada sobre una mesa, iluminaba débilmente el lecho con dosel, cuyas cortinas estaban corridas, como de costumbre. Mr. Rosser, que había estado verificando unas cuentas, llevaba en la mano un pesado libro diario. Con el corazón oprimido se acercó al lecho y descorrió la cortina. Por un instante creyó que su mujer había muerto; yacía tendida, inmóvil, los ojos fijos, la frente perlada de sudor frío y, en la almohada, cerca de la cabeza había algo que, al principio, creyó que era un sapo pero que en realidad era la mano blanca y fofa, cuya muñeca descansaba en la almohada y cuyos dedos se dirigían hacia la sien de Mrs. Rosser.

Presa de terror, Mr. Rosser tiró el pesado volumen con todas sus fuerzas en dirección hacia donde debía hallarse el dueño de la mano. Esta se retiró al instante, pero sin prisa excesiva, mientras la cortina se ondulaba ligeramente.

Mr. Rosser corrió hacia el otro lado de la cama y llegó a tiempo de ver cómo se cerraba la puerta del gabinete adyacente. La abrió y entró en la habitación: estaba vacía. Cerró la puerta con llave y cerrojo, llamó a las criadas y, entre todos y tras muchos esfuerzos, consiguieron que Mrs. Rosser se recuperara de su desmayo. La pobre señora era víctima de una crisis nerviosa.

Lo que hizo que los Rosser abandonasen la Casa Roja para siempre fue la extraña enfermedad que atacó de pronto a su hijito, un chiquillo de dos años y medio. El niño pasaba horas enteras desvelado, en el paroxismo del terror. Los médicos diagnosticaron un principio de hidroencefalitis y su madre, llena de inquietud, no abandonaba la cuna del niño y lo velaba, acompañada por la doncella.

La cama del niño estaba adosada a la pared, con la cabecera contra una alacena cuya puerta no cerraba bien. Una cortinilla blanca rodeaba la cuna y descendía hasta la almohada.

Las dos mujeres tardaron muy poco en darse cuenta de que el niño se iba tranquilizando paulatinamente cuando le cogían en brazos. Sin embargo, una vez que se había dormido y lo metían en la cuna de nuevo, a los cinco minutos empezaba a gemir como presa de un acceso de pánico. En una de aquellas ocasiones, primero la doncella y después Mrs. Rosser se dieron cuenta de la causa de los horribles sufrimientos del niño.

Deslizándose por la entreabierta puerta de la alacena, medio escondida por el baldaquín de la cuna, apareció, extendida, la misma mano blanquecina y gordezuela, con la palma hacia abajo, sobre la cabeza del niño. Lanzando un grito de terror la madre cogió al niño en brazos y, seguida por la criada, penetró en la habitación donde dormía su marido.

Apenas cerraron la puerta tras ellas se oyó un suave repiqueteo en el otro lado.

Al día siguiente los Rosser abandonaron la casa para siempre.

Muchos años más tarde, un tal Mr. Rosser, anciano de grave aspecto pero gran hablador, contó con multitud de detalles la historia de un primo suyo, llamado James Rosser. Este había dormido durante cierto tiempo de su niñez en una habitación de una casa de tejado rojo, de la que se decía que estaba embrujada y que, andando el tiempo, fue demolida. Durante toda su vida, cada vez que estaba enfermo, fatigado o simplemente febril, tenía una penosa visión: se le aparecía un personaje grueso y pálido. Tenía esta visión, siempre la misma, desde su más tierna infancia y era tan precisa que conocía mejor los rasgos de aquella cara sensual, blanda y enfermiza, los rizos de su peluca empolvada y los bordados de su traje negro, que la cara y vestidos de su abuelo cuyo retrato, pendiente de la pared del comedor, presidía todas sus comidas.

Mr. Rosser habló de ello como ejemplo de una pesadilla extrañamente monótona, precisa y persistente y añadió que su primo, del cual hablaba en pasado, refiriéndose a él como "el pobre Jimmy" consideraba especialmente horrible el hecho de que el personaje de la visión tuviera amputada la mano derecha.

J. Sheridan Le Fanu (1814-1873). Escritor irlandés, nació en Dublín. No fue muy conocido en su época, pero es uno de los mejores escritores de terror. Su influencia es notable en los escritores posteriores. Entre sus obras más importantes podemos citar: *Carmilla, Té verde, El tío Silas, El fantasma de Madam Crawl, El asedio a la casa roja...*

AVENTURAS DE UN ESTUDIANTE ALEMÁN

WASHINTON IRVING

Una noche, bajo una tempestad desatada, en la época de la Revolución francesa, un joven alemán se dirigía a su domicilio a través de los viejos barrios de París. Los relámpagos brillaban en el cielo y el ruido sordo de los truenos retumbaba en las estrechas callejuelas.

Gottfried Wolfgang era un joven de buena familia; había estudiado en Gotinga durante muchos años pero, debido a su temperamento entusiasta y visionario, pronto se dejó arrastrar por esas doctrinas atrevidas y altamente especulativas que tan a menudo descarrían a los estudiantes alemanes. Su vida retirada, su aplicación y la naturaleza singular de sus estudios influyeron a la vez en su cuerpo y su espíritu. Su salud era débil, su imaginación enfermiza. Se entregó a especulaciones abstractas sobre la esencia de los espíritus, hasta crearse, como Swedenborg, un mundo imaginario, por encima del verdadero.

No se sabe cómo, llegó a la conclusión de que pesaba sobre él una influencia maligna; creía que un genio o espíritu del mal trataba de prenderle y llevarle a la perdición. Esta idea fue royendo su carácter sombrío y produjo los más funestos efectos; Gottfried se fue volviendo huraño y pesimista. Sus amigos, considerando que se hallaba ante una grave crisis mental, decidieron que lo mejor sería un cambio de ambiente y lo enviaron a París.

Wolfgang llegó a París en los albores de la Revolución. El delirio popular sedujo en seguida su espíritu entusiasta y las teorías políticas y filosóficas de la época lo entusiasmaron. Pero las sangrientas escenas que se desarrollaron a continuación hirieron su sensibilidad, lo desilusionaron de la sociedad y el mundo y lo animaron más que nunca a hacer vida de recluso.

Se retiró a una habitación solitaria en el Barrio Latino, paraíso de los estudiantes, y allí, en una calle sombría, cerca de los austeros muros de la Sorbona, continuó sus especulaciones favoritas. Pasaba horas enteras en las grandes bibliotecas parisinas, esos panteones de autores difuntos, hojeando los viejos mamotretos polvorientos, a fin de satisfacer su morboso apetito. Era como una especie de vampiro literario, que se alimentaba de literatura muerta.

Solitario y recluso, Wolfgang tenía, no obstante, un temperamento ardiente, cuyo fuego estuvo atizando durante mucho tiempo con la imaginación. Era demasiado tímido e ignorante de las cosas de este mundo para tener éxito entre el sexo débil, pero sentía una gran admiración por la belleza femenina y, muy a menudo, pensaba en las figuras y rostros que había visto en la calle y su imaginación los revestía de perfecciones y encantos que sobrepasaban a la realidad.

Cuando su espíritu se excitaba y exaltaba de tal suerte, tenía una visión que le producía un efecto extraordinario. Se le aparecía un rostro femenino de belleza trascendental y la impresión que le producía era tan honda que a duras penas podía rehacerse. Aquel rostro llenaba sus pensamientos de día y sus sueños durante la noche y llegó a enamorarse perdidamente de aquella mujer soñada. Su amor se convirtió en una de esas ideas fijas que se adueñan de los espíritus melancólicos y, que a veces, se toman por locura.

Así era Gottfried Wolfgang y ése su estado de ánimo en el momento que empieza esta historia.

Volvía a su casa, en una noche borrascosa, por las sombrías y viejas calles de Le Marais, el más viejo barrio de París. El sordo rugido del trueno hacía temblar las casas y las estrechas callejas. Llegó a la plaza de la Greve, donde se llevaban a cabo las ejecuciones públicas. Los rayos centelleaban sobre las altas torres del viejo Ayuntamiento y su fulgor iluminaba la plaza.

26

Al encontrarse tan cerca de la guillotina retrocedió horrorizado. El terror estaba en todo su apogeo y el terrible instrumento de muerte, siempre a punto, relucía con la sangre de los justos y los valientes. Aquel mismo día, el siniestro aparato, había trabajado activamente segando cabezas, y allí estaba, en el corazón de la ciudad silenciosa y dormida, esperando nuevas víctimas.

Wolfgang sintió que el corazón se le oprimía y decidió alejarse, pero en aquel momento, vio una figura encogida al pie de los escalones que daban acceso al tablado. Unos cuantos relámpagos seguidos le permitieron observarla mejor: era una silueta femenina, vestida de negro, sentada en el último de los escalones. Tenía el busto inclinado hacia delante y la cara escondida entre las rodillas; sus largas trenzas, oscuras y despeinadas, llegaban al suelo, mojadas por la lluvia que caía a torrentes. Wolfgang permaneció inmóvil.

Había algo terriblemente patético en aquella solitaria imagen de la angustia. La dama daba la sensación de pertenecer a la alta sociedad. En aquellos tiempos difíciles, más de una bella cabeza acostumbrada a la blandura del plumón no tenía donde apoyarse. Sin duda debía tratarse de una viuda, a la cual la siniestra cuchilla acababa de dejar sola, con el corazón destrozado y que permanecía allí, en el lugar en donde le habían arrebatado aquello que le era más querido.

Gottfried se acercó y le dirigió la palabra en un tono que revelaba profunda simpatía. Ella levantó la cabeza y lo miró con mirada extraviada, y cual no sería el asombro de Wolfgang al contemplar, bajo la luz de los relámpagos, el rostro que llenaba sus sueños: lívido y desesperado y, sin embargo, de una belleza arrebatadora.

Agitado por sentimientos violentos y contradictorios, le dirigió la palabra de nuevo, temblando. Se asombró de verla sola, en una hora tan avanzada de la noche, bajo la furiosa tormenta y se ofreció a conducirla a casa de algún amigo. Ella señaló la guillotina con un gesto terriblemente expresivo.

27

–Ya no me quedan amigos en este mundo –dijo.

–¿Y no tiene usted dónde ir?

–Sí... ¡Mi tumba!

Al oírla, el corazón del estudiante se estremeció de emoción.

–Si un extraño –dijo–, pudiera hacerle un ofrecimiento sin correr el riesgo de ser mal comprendido, yo me permitiría ofrecerle mi humilde morada por cobijo y a mí mismo como su más devoto amigo. Yo tampoco tengo a nadie, soy un extraño en este país; pero si mi vida puede servirle de algo está a su servicio y la sacrificaré gustoso para evitarle el menor daño u ofensa.

Los modales graves y fervientes del joven produjeron su efecto; incluso su acento extranjero, que demostraba que no tenía nada en común con la chusma parisina, habló en su favor. Además, el verdadero entusiasmo posee una elocuencia incuestionable. La angustia de la señora cedió un tanto bajo la protección del estudiante.

Le ayudó a cruzar el Puente Nuevo y la plaza en la que la estatua de Enrique IV yacía tirada en el suelo, derribada por el populacho. La tormenta se había calmado, aunque aún sonaba el rugido de los truenos en la lejanía. París parecía reposar; aquel gran volcán de las pasiones humanas dormía durante un rato, para recuperar las fuerzas necesarias para la erupción del día siguiente. El estudiante condujo a su protegida a través de las viejas calles del Barrio Latino, rodeó los muros de la Sorbona y llegó al miserable hotel donde tenía su habitación. El portero que le abrió manifestó su sorpresa al ver al melancólico Wolfgang en compañía de una mujer.

Al abrir la puerta se avergonzó de la pobreza y desorden de su hospedaje. No tenía más que una habitación: una sala de viejo estilo, adornada con pesadas esculturas y extravagantemente amueblada con restos marchitos de un antiguo esplendor. Se trataba, en efecto, de uno de esos hoteles cercanos a Luxemburgo, que antaño habían pertenecido a la nobleza. La habitación estaba llena de libros, papeles y todas esas cosas propias de un estudiante. La cama estaba situada en un rincón, en una especie de alcoba.

Cuando hubo encendido una bujía y pudo contemplar la belleza de la desconocida se sintió más emocionado que nunca. Su rostro era pálido pero de una blancura radiante, realzado por la aureola de una espesa cabellera negra; sus enormes ojos brillaban con una expresión un tanto esquiva; sus formas, bajo el traje negro, eran de una armonía perfecta. De toda su persona emanaba un aire de nobleza, a pesar de la sencillez de su atavío; lo único que tenía cierta coquetería en todo su atavío era un pañuelo de gasa negra, que llevaba en el cuello, prendido con un alfiler de diamantes.

El estudiante se sentía un poco embarazado al pensar en la mejor manera de acomodar, en forma conveniente, al pobre ser abandonado que había tomado bajo su protección. Había pensado en cederle su habitación y buscar otra para él, pero estaba tan fascinado, su espíritu y sus sentidos se sentían tan atraídos que no podía apartarse de su presencia.

También la actitud de ella era rara y sorprendente; ya no pensaba en la guillotina y hasta su dolor parecía calmado. Las atenciones del estudiante, que, al principio, ganaron su confianza, ahora habían conquistado además su corazón. Evidentemente, ella era también muy apasionada y los seres apasionados se compenetran pronto.

Bajo la embriaguez del momento Wolfgang le declaró su amor, le contó la historia de su sueño misterioso, de cómo ella se había adueñado de su corazón mucho antes de conocerla. La dama reconoció sentirse también atraída hacia él por una fuerza inexplicable.

La época predisponía a todos los atrevimientos, tanto en las ideas como en las acciones; los prejuicios y viejas supersticiones habían sido barridos. Ahora todo ocurría bajo los auspicios de la "Diosa Razón". Incluso los espíritus más honorables consideraban el matrimonio como una fórmula en desuso, otra más en el fárrago de antiguallas del Antiguo Régimen. Se habían puesto de moda los contratos sociales y Wolfgang era demasiado teórico para no dejarse influenciar por las doctrinas liberales de la época.

–¿Por qué separarnos? –dijo–. Nuestros corazones desean la unión, a los ojos de la razón y del honor ya estamos unidos. ¿Qué necesidad tienen las almas nobles de fórmulas vulgares?

La dama le escuchaba con emoción; evidentemente abundaba en las mismas ideas.

–Tú no tienes ni casa ni familia –añadió Wolfgang–. Déjame ser todo eso para ti; o mejor, seámoslo el uno para el otro. Y si la fórmula es necesaria, observémosla: he aquí mi mano. Me uno a ti para siempre.

–¿Para siempre? –preguntó gravemente la desconocida.

–¡Para siempre! –respondió él.

La dama tomó la mano que se le tendía.

–Entonces soy tuya, murmuró; y se echó en brazos del joven estudiante.

A la mañana siguiente, Gottfried salió muy de mañana para buscar un alojamiento más espacioso y conforme a su nuevo estado; su esposa continuaba durmiendo y no quiso despertarla. Cuando volvió la encontró tendida en el lecho, con la cabeza echada hacia atrás, bajo el brazo. Le habló, pero no recibió contestación alguna. Se acercó para despertarla y cambiarla de aquella incómoda postura y la cogió de la mano; la mano estaba fría e inerte. Su rostro era una máscara lívida y dura. En una palabra: era un cadáver.

Sobrecogido de espanto, dio la alarma en toda la casa. A continuación se desarrolló una escena de confusión y horror. Acudió la policía y cuando el oficial que penetró en la habitación vio el cadáver se echó a temblar.

–¡Dioses inmortales! –exclamó–. ¿Cómo ha podido llegar esta mujer hasta aquí?

–¿Luego la conoce? –preguntó Wolfgang precipitadamente.

–¡Qué si la conozco! –repitió el oficial–. La guillotinaron ayer.

32

Se acercó; deshizo el nudo del negro pañuelo que llevaba al cuello y la cabeza del cadáver rodó hasta el suelo.

El estudiante empezó a gemir en un acceso de delirio:

—¡El demonio! ¡Es el demonio, que se ha apoderado de mi!... Estoy perdido para siempre.

Trataron de calmarle, pero en vano. Se había adueñado de él la espantosa convicción de que un espíritu demoníaco se introdujo en el cadáver para perderle. Gottfried Wolfgang se volvió loco y murió en un manicomio.

Washinton Irving (1783–1859). Nació en Nueva York. Como periodista viajó por Francia e Italia. Se dio a conocer por su obra satírica Una historia de Nueva York. Estuvo en España como diplomático. Aprendió castellano y escribió los famosos *Cuentos de la Alhambra* y *La conquista de Granada*.

EL GATO NEGRO

EDGAR ALLAN POE

No espero ni quiero que se dé crédito a la historia extraordinaria que voy a referir. Tratándose de un caso en el que mis sentidos se niegan a aceptar su propio testimonio, habría de estar realmente loco si así lo creyera. No obstante, no estoy loco, y, con toda seguridad, no sueño. Pero mañana puedo morir y quiero aliviar hoy mi espíritu. Mi inmediato deseo es mostrar al mundo, clara, sucintamente y sin comentarios, una serie de simples acontecimientos domésticos que, por sus consecuencias, me han aterrorizado, torturado y anonadado. A pesar de todo, no trataré de esclarecerlos. A mi casi no me han producido otro sentimiento que el de horror, pero a muchas personas les parecerán menos terribles. Tal vez más tarde haya una inteligencia que reduzca mi fantasma al estado de lugar común. Alguna inteligencia más serena, más lógica y mucho menos excitable que la mía encontrará, tan sólo en las circunstancias que relato con terror, una serie ordinaria de causas y de efectos naturalísimos.

En mi infancia me distinguí por la docilidad y amabilidad de mi carácter. Tan notable era la ternura de mi corazón, que había hecho de mí el juguete de mis amigos. Sentía una auténtica pasión por los animales, y mis padres me permitieron poseer una gran variedad de ellos. Casi todo el tiempo lo pasaba en su compañía y nunca me consideraba tan feliz como cuando les daba de comer o los acariciaba. Con los años aumentó esta particularidad de mi carácter, y cuando fui hombre hice de ella una de mis principales fuentes de esparcimiento... Aquellos que han profesado afecto a un perro fiel y sagaz no requieren la explicación de la naturaleza o intensidad de los goces que esto puede producir. En el amor desinteresado de un animal, en el sacrificio de sí mismo, hay algo que llega directamente al corazón del que con frecuencia ha tenido ocasión de comprobar la amistad mezquina y la frágil fidelidad del *Hombre*.

Me casé joven; tuve la suerte de descubrir en mi mujer una disposición semejante a la mía. Habiéndose dado cuenta de mi gusto por los animales domésticos, no perdió ocasión alguna de proporcionármelos.

Tuvimos pájaros, un pez de color dorado, un magnífico perro, conejos, un mono pequeño y un gato.

Era este último muy fuerte y hermoso, completamente negro y de una sagacidad maravillosa. Mi mujer, que era en el fondo algo supersticiosa, hablando de su inteligencia, aludía frecuentemente a la antigua creencia popular que consideraba a todos los gatos negros como brujas disimuladas. No quiere esto decir que hablara siempre en serio sobre este particular, y lo consigno por la sencilla razón de que lo recuerdo ahora.

Plutón –así llamábase el gato– era mi amigo predilecto. Sólo yo le daba de comer, y dondequiera que fuese me seguía por la casa. Incluso me costaba trabajo impedirle que me siguiera por las calles.

Nuestra amistad subsistió así algunos años, durante los cuales mi carácter y mi temperamento –me sonroja confesarlo–, por causa del demonio de la intemperancia, sufrió una alteración radicalmente funesta. De día en día me hice más taciturno, más irritable, más indiferente a los sentimientos ajenos. Empleé con mi mujer un lenguaje brutal, que llegó con el tiempo a violencias personales.

Naturalmente, mis animales debieron de notar el cambio de mi carácter. No les hacía caso alguno e incluso los maltrataba. Sin embargo, por lo que se refiere a *Plutón*, aún despertaba en mí la consideración suficiente para no pegarle. En cambio, no sentía ningún escrúpulo en maltratar a los conejos, al mono e incluso al perro cuando, por casualidad o afecto, se cruzaban en mi camino.

Pero mi mal iba progresando, porque, ¿qué mal no progresa cuando tiene su base en el abuso del alcohol? Al fin, el mismo *Plutón*, que envejecía, y, naturalmente, se hacía un poco huraño, comenzó a conocer los efectos de mi nuevo carácter.

Una noche, con ocasión de regresar a casa completamente ebrio, me pareció que el gato evitaba mi presencia. Lo cogí, pero él, horrorizado por mi violenta actitud, me mordió en la mano produciéndome una leve herida. Repentinamente se apoderó de mí un furor demoníaco. En aquel instante dejé de controlarme. Pareció como si de pronto, mi alma original hubiese abandonado mi cuerpo, y una ruindad superdemoníaca, saturada de ginebra, se filtrara en cada una de las fibras de mi ser. Del bolsillo de mi chaleco saqué un cortaplumas, lo abrí, cogí al pobre animal por la garganta y, deliberadamente, le vacié un ojo... Me cubre el rubor, me abraso, me estremezco al escribir esta abominable atrocidad.

Cuando, al amanecer, hube recuperado la razón, cuando se hubieron disipado los vapores de mi crápula nocturna, experimenté un sentimiento mitad horror, mitad remordimiento por el crimen que había cometido. Pero, todo lo más, era un débil y equívoco sentimiento, y el alma permaneció insensible. Volví a sumirme en los excesos, y no tardé en ahogar en el vino todo recuerdo de mi acción.

Curó lentamente, entretanto, el gato. La órbita del ojo perdido presentaba, es cierto, un aspecto espantoso. Pero después, con el tiempo, no pareció que se daba cuenta de ello. Según su costumbre iba y venía por la casa, pero como es lógico, en cuanto veía que me aproximaba a él, huía aterrorizado. Me quedaba aún lo bastante de mi antiguo corazón para que me afligiera aquella manifiesta antipatía en una criatura que tanto había amado anteriormente. Pero este sentimiento no tardó en ser desalojado por la irritación.

Llegó mi caída final e irrevocable: brotó el espíritu de *perversidad*, espíritu del que la filosofía no se ocupa ni poco ni mucho. No obstante, tan seguro como que existe mi alma, creo que la perversidad es uno de los más primitivos instintos del corazón del hombre... ¿Quién no se ha sorprendido numerosas veces cometiendo una acción necia o vil, por la única razón de que sabía que no debía cometerla? ¿No tenemos una constante inclinación, pese a lo excelente de nuestro juicio, a violar lo que es la Ley, simplemente porque comprendemos que es la *Ley*? Digo que este espíritu de perversidad hubo de producir mi ruina completa. El vivo e insondable deseo del alma de *atormentarse a sí misma*, de violentar su propia naturaleza, me impulsaba a continuar y, últimamente, a llevar a efecto el suplicio que había infligido al pobre animal.

Una mañana, a sangre fría, ceñí un nudo corredizo en torno a su cuello y lo ahorqué en la rama de un árbol. Lo ahorqué con los ojos llenos de lágrimas, con el corazón desbordante del más amargo remordimiento. Lo ahorqué porque sabía que él me había amado, y porque reconocía que no me había dado motivo alguno para encolerizarme contra él. Lo ahorqué, porque al hacerlo, sabía que cometía un pecado mortal que comprometía a mi alma inmortal, hasta el punto de colocarla, si esto fuera posible, lejos incluso de la misericordia infinita del muy terrible y misericordioso Dios.

En la noche siguiente al día en que fue cometida una acción tan cruel, me despertó del sueño el grito de: "¡Fuego!". Ardían las cortinas de mi lecho. La casa era una gran hoguera. No sin grandes dificultades mi mujer, un criado y yo, logramos escapar del incendio. La destrucción fue total. Quedé arruinado, y me entregué desde entonces a la desesperación.

No intento establecer relación alguna entre causa y efecto con respecto a la atrocidad y el desastre. Estoy por encima de tal debilidad. Pero me limito a dar cuenta de una cadena de hechos y no quiero omitir el menor eslabón.

Visité las ruinas el día siguiente al incendio. Excepto una, todas las paredes se habían derrumbado. Esta sola excepción la constituía un delgado tabique interior, situado casi en la mitad de la casa, contra el que se apoyaba la cabecera de mi lecho. Había resistido a gran parte de la acción del fuego, hecho que atribuí a su construcción. En torno a aquella pared se congregaba la multitud, y numerosas personas examinaban una parte del muro con atención viva y minuciosa. Excitaron mi curiosidad las palabras "extraño" y "singular" y otras exclamaciones parecidas. Me acerqué y ví, a modo de un bajorrelieve esculpido sobre la blanca superficie, la figura de un gigantesco *gato*. La imagen estaba copiada con extraordinaria exactitud. Una cuerda rodeaba el cuello del animal.

Apenas hube visto esta aparición –porque yo no podía considerar a aquello más que como una aparición–, mi asombro y mi terror fueron extraordinarios Por fin vino a mi amparo la reflexión. Recordaba que el gato fue ahorcado en un jardín contiguo a la casa. A los gritos de alarma, el jardín fue invadido inmediatamente por la muchedumbre; el animal debió de haber sido descolgado por alguien del árbol y arrojado a mi cuarto por una ventana abierta. Probablemente se hizo esto con el fin de despertarme. El derrumbamiento de las restantes paredes había comprimido a la víctima de mi crueldad en el yeso recientemente extendido. La cal del muro, en combinación con las llamas y el amoníaco del cadáver, produjo la imagen tal como yo la veía.

Procuré satisfacer así la razón, ya que no por completo mi conciencia. Sin embargo, no dejó de grabar en mi imaginación una huella profunda el sorprendente caso del que acabo de dar cuenta. Durante algunos meses no pude liberarme del fantasma del gato, y en todo este tiempo nació en mi alma una especie de sentimiento que se parecía, aunque no lo era, al remordimiento. Llegué incluso a lamentar la pérdida del animal y a buscar en torno mío, en los miserables tugurios que a la sazón frecuentaba, otro favorito de la misma especie y de facciones parecidas que pudiera sustituirle.

Hallándome sentado una noche, medio aturdido, en un bodegón infame, atrajo repentinamente mi atención un objeto negro que yacía en lo alto de uno de los inmensos barriles de ginebra o ron que componían el mobiliario más importante de la sala. Hacía ya algunos momentos que miraba a lo alto del tonel, y me sorprendió no haber advertido antes el objeto colocado encima. Me acerqué a él y lo toqué. Era un gato negro enorme, tan corpulento como *Plutón*, al que se parecía en todo menos en un detalle: *Plutón* no tenía un solo pelo blanco en todo el cuerpo, pero éste tenía una señal ancha y blanca, aunque de forma indefinida, que le cubría casi toda la región del pecho. Apenas puse en él mi mano, se levantó repentinamente, ronroneando con fuerza, se restregó contra ella y parecía contento de mi atención. Era pues, el animal que yo buscaba. Me apresuré a proponer al dueño su adquisición, pero éste no tuvo interés alguno por el animal. No lo había visto hasta entonces.

Continué acariciándolo y cuando me disponía a regresar a mi casa, el animal se mostró dispuesto a

43

seguirme. Se lo permití, y deteniéndome de vez en cuando, lo acariciaba. Cuando llegué a mi casa, se encontró como si fuera la suya y se convirtió rápidamente en el favorito de mi mujer.

No tardó en formarse en mí una antipatía hacia él. Era precisamente lo contrario de lo que yo había esperado. No sé cómo ni por qué sucedió esto, pero su evidente ternura me enojaba y casi me fatigaba. Paulatinamente, estos sentimientos de disgusto y fastidio se acrecentaron hasta convertirse en la amargura del odio. Yo evitaba su presencia. Una especie de vergüenza, y el recuerdo de mi primera crueldad, me impidieron que lo maltratara. Durante algunas semanas me abstuve de pegarle o tratarle con violencia; pero gradual, insensiblemente, llegué a sentir por él un horror indecible y a eludir en silencio, como si huyera de la peste, su odiosa presencia.

Sin duda, lo que aumentó mi odio por el animal, fue el descubrimiento que hice a la mañana siguiente de haberle llevado a casa. Como a *Plutón,* también él había sido privado de un ojo. Sin embargo, esta circunstancia contribuyó a hacerle más grato a mi mujer, que, como ya he dicho, poseía la ternura de sentimientos que fue en otro tiempo mi rasgo característico y el frecuente manantial de mis placeres más sencillos y puros.

No obstante, el cariño que el gato me demostraba parecía crecer en razón directa de mi odio hacia él. Con una tenacidad imposible de hacer comprender al lector, seguía constantemente mis pasos. En cuanto me sentaba, acurrucábase debajo de mi silla, o saltaba sobre mis rodillas, cubriéndome con sus repugnantes caricias. Si me levantaba para andar, metíase entre mis piernas y casi me derribaba; o bien, clavando sus largas y agudas garras en mi ropa, trepaba por ellas hasta mi pecho. En estos instantes, aunque hubiera querido matarle de un golpe, me lo impedía, en parte, el recuerdo de mi primer crimen. Pero, sobre todo, me apresuro a confesarlo, un verdadero terror hacia el animal.

Este terror no era el de un mal físico, y, no obstante, me sería muy difícil definirlo de otro modo. Casi me avergüenza confesar, aun en esta celda de malhechor, que el horror y el pánico que me inspiraba el animal habíase acrecentado a causa de una de las fantasías más perfectas que es posible imaginar. Mi mujer me había llamado la atención más de una vez con respecto al carácter de la mancha de que he hablado y que constituía la única diferencia perceptible entre el extraño animal y aquél que yo había matado.

Recordará sin duda el lector, que esta señal, aunque grande, tuvo primitivamente una forma indefinida. Pero lenta, gradualmente, por fases imperceptibles (y que mi imaginación se esforzó en considerar como imaginarias), había terminado adquiriendo una nitidez rigurosa de contornos: la imagen de un objeto que me hace temblar nombrarlo. Era, sobre todo, lo que me hacía mirarle como a un monstruo, y lo que, si me hubiera atrevido, me hubiese impulsado a librarme de él. Era ahora, digo, la imagen de una cosa abominable y siniestra: la imagen ¡de la *horca*! ¡Oh, lúgubre y terrible máquina, máquina de espanto y crimen, de agonía y muerte!

Yo era entonces, en verdad, un miserable, el mayor miserable de la Humanidad. Una bestia bruta, cuyo hermano fue aniquilado por mí, con desprecio; una bestia bruta engendrada en mí, hombre formado a imagen del Altísimo. ¡Ay! Ni de día ni de noche conocía la paz del descanso. Ni un solo instante durante el día dejábame el animal. Y de noche, a cada momento, cuando salía de mis sueños de indefinible angustia, era tan sólo para sentir el aliento tibio de *la cosa* sobre mi rostro y su enorme peso, encarnación de una pesadilla que yo no podía separar de mí y que parecía eternamente posada en mi corazón.

Bajo tales tormentos sucumbió lo poco que me quedaba de bueno. Infames pensamientos convirtiéronse en mis íntimos; los más sombríos, los más infames de todos los pensamientos. Mi tristeza de costumbre se acrecentó hasta hacerme aborrecer a todas las cosas de la Humanidad entera. Mi mujer, sin embargo, no se quejaba nunca. ¡Ay! Era la principal víctima. La más paciente víctima de las repentinas, frecuentes e indomables expansiones de una furia a la que ciertamente me abandoné desde entonces.

Para un quehacer doméstico, me acompañó un día al sótano del viejo edificio en que nos obligara a vivir nuestra pobreza. Por los peldaños de la escalera me seguía el gato, y, habiéndome hecho caer de cabeza, me exasperó hasta la locura. Apoderándome de un hacha, y olvidando en mi furor el espanto pueril que había detenido hasta entonces mi mano, dirigí un golpe al animal que habría sido mortal si lo hubiera alcanzado como quería. Pero la mano de mi mujer detuvo el golpe. Una rabia más que diabólica me produjo esta intervención. Liberé mi brazo del obstáculo que lo detenía y le hundí a ella el hacha en el cráneo. Mi mujer cayó muerta instantáneamente, sin exhalar siquiera un gemido.

Realizado el horrible asesinato, inmediata y resueltamente procuré esconder el cuerpo. Me di cuenta de que no podía hacerlo desaparecer de la casa, ni de día ni de noche, sin correr el riesgo de que se enteraran los vecinos. Asaltaron a mi mente varios proyectos. Pensé por un instante en fragmentar el cuerpo y arrojar al fuego los pedazos. Resolví después cavar una fosa en el piso de la cueva. Luego pensé arrojarlo al pozo del jardín. Cambié de idea y decidí embalarlo en un cajón como una mercancía, en la forma de costumbre y encargar a un mandadero que se lo llevase de casa. Pero, por último, me detuve ante un proyecto que consideré el más factible. Me decidí a emparedarlo en el sótano.

La cueva parecía estar hecha a propósito para semejante proyecto. Los muros no estaban construidos con el cuidado de costumbre, y no hacía mucho tiempo habían sido cubiertos en toda su extensión por una capa de yeso que no dejó endurecer la humedad. Por otra parte, había un saliente en uno de los muros producido por una chimenea artificial o especie de hogar, que quedó luego tapado y dispuesto de la misma forma que el resto del sótano. No dudé que me sería fácil quitar los ladrillos de aquel sitio, colocar el cadáver y emparedarlo del mismo modo, de forma que ninguna mirada pudiese descubrir nada sospechoso.

No me engañó mi cálculo. Ayudado por una palanca, separé sin dificultad los ladrillos, coloqué el cuerpo cuidadosamente contra la pared interior, lo sostuve en esta postura hasta poder restablecer, sin gran esfuerzo, el estado primitivo del muro. Con todas las precauciones imaginables, me procuré una argamasa, preparé una capa que no podía distinguirse de la primitiva y cubrí cuidadosamente con ella el nuevo tabique. Cuando terminé, vi que todo había resultado perfecto. La pared no presentaba la más leve señal de arreglo. Con el mayor cuidado barrí el suelo y recogí los escombros, miré triunfalmente en torno mío y dije: "Por lo menos, aquí mi trabajo no ha sido infructuoso".

Mi primera idea, entonces, fue buscar al animal que había sido el causante de tan tremenda desgracia, porque, al fin, había resuelto matarlo. Si en aquel momento hubiese podido encontrarlo, nada hubiese evitado su destino. Pero parecía que el astuto animal, ante la violencia de mi cólera, se había alarmado y procuraba no presentarse ante mí, desafiando mi mal humor. Imposible describir o imaginar la intensa, la apacible sensación de alivio que dio a mi corazón la ausencia de la detestable criatura. En toda la noche no se presentó, y ésta fue la primera que gocé, desde su entrada en la casa, durmiendo tranquila y profundamente. Sí, dormí con el peso de aquel asesinato en mi alma.

Transcurrieron el segundo y el tercer día. Mi verdugo no se presentó, sin embargo. Como un hombre libre, respiré. En su terror, el monstruo había abandonado para siempre aquellos lugares y no volvería a verlo nunca más. Mi dicha era infinita. Me inquietaba muy poco la criminalidad de mi tenebrosa acción. Se inició una especie de sumario. También se dispuso una investigación. Pero, naturalmente, nada podía descubrirse. Yo daba por asegurada mi felicidad futura.

Al cuarto día después de haberse cometido el asesinato, se presentó en mi casa, inesperadamente, un grupo de agentes de policía y procedió de nuevo a una rigurosa investigación del local. Sin embargo, confiado en lo impenetrable del escondite, no experimenté ninguna turbación. Los agentes quisieron que les acompañara en sus pesquisas. Fue explorado hasta el último rincón. Bajaron por último a la cueva.

No me alteré en absoluto. Como el de un hombre que reposa en la inocencia, mi corazón latía pacíficamente. Recorrí el sótano de punta a punta, crucé los brazos sobre el pecho y me paseé indiferentemente de un lado a otro. Plenamente satisfecha, la policía se disponía a abandonar el local. Era demasiado intenso el júbilo de mi corazón para que pudiera reprimirlo. Sentía la viva necesidad de decir una palabra, una palabra tan sólo, a modo de triunfo, y hacer doblemente evidente su convicción con respecto a mi inocencia.

–Señores –dije por último, cuando los agentes subían la escalera–, es para mí una gran satisfacción haber desvanecido sus sospechas. Deseo a todos ustedes una buena salud y un poco más de cortesía. Dicho sea de paso, señores, tienen ustedes aquí una casa bien construida.

Apenas sabía lo que hablaba, en mi furioso deseo de decir algo tranquilamente.

–Puedo asegurar que ésta es una casa excelentemente construida. Estos muros... ¿Se van ustedes, señores? Estos muros están construidos con una gran solidez.

Entonces, por una fanfarronada frenética, golpeé con fuerza, con un bastón que tenía en la mano en aquel momento, precisamente sobre el tabique tras el cual yacía la esposa de mi corazón.

¡Ah! Que por lo menos Dios me proteja y me libre de las garras del demonio. Apenas húbose hundido en el silencio el eco de mis golpes, me respondió una voz del fondo de la tumba. Era, primero, una queja, velada y entrecortada como el sollozo de un niño. Después, en seguida, se hinchó en un grito prolongado, sonoro y continuo, completamente anormal e inhumano. Un alarido, un aullido, mitad horror, mitad triunfo, como solamente puede brotar del infierno, como si surgiera al unísono de las gargantas de los condenados en sus torturas y de los demonios que gozaban en la condenación.

Sería una locura expresaros mis pensamientos. Me sentí desfallecer, y, tambaleándome, caí contra la pared opuesta. Durante un instante detuviéronse los agentes en los escalones. El terror los había dejado atónitos. Un momento después, doce brazos robustos atacaron la pared que cayó a tierra de un golpe. El cadáver desfigurado ya y cubierto de sangre coagulada, apareció rígido a los ojos de todos. Sobre su cabeza, con las rojas fauces dilatadas y llameando su único ojo, se posaba el odioso animal cuya astucia me llevó al asesinato y cuya reveladora voz me entregaba al verdugo. Yo había emparedado al monstruo en la tumba.

53

Edgar Allan Poe (1809–1849). Escritor y poeta norteamericano. Es, tal vez, el que inicia la novela policíaca al crear a Dupin, famoso personaje. También es uno de los más famosos cultivadores del género del terror. Entre sus principales cuentos están: *El crimen de la calle Morgue, La carta robada, El gato negro, El caso del amontillado.* Y en poesía destacan *El cuervo, Las campanas...*

LA CASA DEL JUEZ

BRAM STOKER

Cuando se fue acercando la época de exámenes, Malcolm Malcolmson decidió irse a algún lugar solitario donde pudiera estudiar sin ser interrumpido. Temía las playas, por lo atractivas, y también desconfiaba del completo aislamiento rural, pues desde hacía tiempo conocía sus encantos. Lo que buscaba era un pueblecito sin pretensiones ni nada que le distrajese del estudio y se decidió a encontrarlo. Aguantó su deseo de pedir consejo a algún amigo, pues pensó que cada uno de ellos le recomendaría un sitio ya conocido donde, sin duda, tendría amigos a su vez.

Malcolmson deseaba evitar a las amistades y tenía aún muchos menos deseos de trabar contacto con los amigos de los amigos. Por ello decidió irse él solo a buscar el lugar por sí mismo. Hizo su equipaje, consistente en una maleta con algunas ropas y todos los libros que necesitaba, y sacó billete para el primer nombre desconocido que vio en el itinerario local de ferrocarriles.

Cuando, al cabo de tres horas, se apeó en Benchurch, se sintió satisfecho de lo bien que había conseguido borrar su pista para poder disponer de tiempo y tranquilidad con que proseguir sus estudios. Fue inmediatamente a la única posada del pequeño y soñoliento lugar, y tomó allí una habitación para pasar la noche.

Benchurch era un pueblo donde se celebraban mercados y, durante una semana de cada cuatro, era invadido por una enorme muchedumbre; pero durante los restantes veintiún días no tenía más atractivos que los que tendría un desierto. Al día siguiente de su llegada, Malcolmson buscó por los alrededores a fin de encontrar una residencia aún más aislada y apacible incluso que una posada tan tranquila como *El Buen Viajero*.

Solamente encontró un lugar del que prendarse y que satisfaciese verdaderamente sus más exageradas ideas acerca de la quietud. En realidad, quietud no era la palabra más adecuada para aquel sitio: desolación era el único término que podía transmitir cierta idea adecuada a su aislamiento.

Era una casa vieja y anticuada, de construcción pesada y estilo jacobino, con macizos aleros y ventanas, más pequeñas éstas de lo acostumbrado y situadas más alto de lo que es habitual y estaba rodeada por una alta tapia de ladrillos sólidamente construida. Al examinarla, daba más la impresión de un edificio fortificado que de una vivienda ordinaria. Pero todas estas cosas agradaron a Malcolmson. "He aquí –pensó– el mismísimo lugar que buscaba, y sólo con conseguir habitarlo me sentiré feliz". Su alegría aumentó cuando se dio cuenta de que, sin duda de ningún género, estaba sin alquilar en aquel momento.

En la estafeta de correos averiguó el nombre del agente, el cual quedó muy sorprendido al enterarse de que alguien quisiera habitar parte de la vieja casona. Mr. Carnford, abogado local y agente de fincas, era un amable caballero de edad y confesó francamente el placer que le producía el que alguien desease alquilar la casa.

–A decir verdad –dijo–, me alegraría muchísimo, por los dueños, naturalmente, que alguien tomase la casa durante algunos años, aunque fuera gratuitamente, si con ello se pudiera acostumbrar al pueblo a verla habitada. Ha estado tanto tiempo vacía, que se ha levantado una especie de prejuicio absurdo a su alrededor, y la mejor manera de echarlo abajo es ocuparla... aunque sólo sea –añadió, lanzando una astuta mirada a Malcolmson– por un estudioso como usted, que desee quietud durante algún tiempo.

Malcolmson juzgó inútil preguntar al agente detalles acerca del "absurdo prejuicio"; sabía que sobre aquel tema podría conseguir más información, si la necesitaba, en cualquier otro lugar. Pagó, pues, por adelantado, la renta de tres meses, obtuvo un recibo y el nombre de una vieja que probablemente se comprometería a "cuidar de él" y se marchó con las llaves en el bolsillo. A continuación fue a hablar con la posadera, que era una mujer de lo más alegre y bondadoso, y le pidió consejo acerca de qué clase y cantidad de víveres y provisiones necesitaría. Ella levantó las manos estupefacta cuando él dijo dónde pensaba alojarse.

–¡En la Casa del Juez, no! –exclamó, palideciendo.

El respondió que no conocía el nombre de la casa, pero explicó su emplazamiento y detalles. Cuando hubo terminado, contestó la mujer:

–¡Sí, no cabe duda...; no cabe duda, es el mismo sitio! Es la Casa del Juez, no cabe duda.

Entonces él le pidió que le hablase de la casa, por qué se llamaba así y qué tenía en contra de ella. La mujer le contó que la llamaban así en el pueblo porque hacía muchos años –no podía decir cuántos exactamente, dado que ella era de otra parte de la región, pero debían ser unos cien o más– había sido domicilio de cierto juez que inspiró en su tiempo gran espanto a cuenta del rigor de sus sentencias y de la hostilidad con que siempre se enfrentó con los acusados en su Tribunal. Acerca de lo que había en contra de la casa, no podía decir nada. Con frecuencia ella misma lo había preguntado, pero nadie le supo informar. Sin embargo, el sentimiento general era de que allí había algo, y ella, por su parte, no tomaría todo el dinero del Drinkswater's Bank, si con ello se veía comprometida a permanecer una sola hora en la casa. Luego se excusó ante Malcolmson por su torpe conversación.

–Es que esas cosas no me gustan nada, señor, y además usted, un caballero tan joven, que se vaya, perdóneme que se lo diga, a vivir allí tan solo... Si fuera hijo mío, y perdóneme que se lo diga, no pasaría usted allí ni una noche, aunque tuviera que ir yo misma en persona y tirar de la campana grande de alarma que hay en el tejado.

La buena mujer hablaba tan evidentemente de buena fe, y con tan buenas intenciones, que Malcolmson, pese a la gracia que le hizo la perorata, se sintió conmovido. Expresó, pues, amablemente, cuánto apreciaba el interés que se tomaba para con él y luego añadió:

–Pero, mi querida Mrs. Witham, le aseguro que no es necesario que se preocupe de mí. Un hombre que, como yo, estudia Matemáticas superiores, tiene demasiadas cosas en que pensar para que pueda molestarle ninguno de esos misteriosos "algos"; y, por otra parte, su trabajo es demasiado exacto y prosaico para permitir en su mente el menor resquicio a misterios de cualquier tipo. ¡La progresión armónica, las permutaciones, las combinaciones y las funciones elípticas tienen ya suficientes misterios para mí!

Mrs. Witham se encargó amablemente de suministrarle las provisiones pertinentes y él marchó en busca de la vieja que le habían recomendado para "cuidarle". Cuando, al cabo de unas dos horas, regresó en compañía de ésta a la Casa del Juez, se encontró con que le estaba esperando allí Mrs. Witham en persona, en compañía de varios hombres y chiquillos portadores de diversos paquetes e incluso de una cama, que habían transportado en un carrito,

60

pues, como decía ella, aunque las sillas y las mesas pudiesen estar todas muy bien conservadas y utilizables, no era bueno ni propio de huesos jóvenes descansar en una cama que lo menos hacía cincuenta años que no había sido oreada. La buena mujer sentía evidente curiosidad por ver el interior de la casa, y recorrió todo el lugar, a pesar de manifestarse tan temerosa de los "algos" que, al menor ruido, se agarraba a Malcolmson, del cual no se separó un instante.

Después de haber examinado la casa, Malcolmson decidió fijar su residencia en el gran comedor, que era lo suficientemente espacioso para satisfacer todas sus necesidades; y Mrs. Witham, con la ayuda de Mrs. Dempster, la asistenta, procedió a arreglar las cosas. Cuando entraron y desempaquetaron los bultos, vio Malcolmson que, con mucha y bondadosa previsión, habíale ella enviado de su propia cocina provisiones suficientes para algunos días. La excelente posadera, antes de irse expresó toda clase de buenos deseos, y ya en la misma puerta, se volvió aún para decir:

–Quizá, señor, como la habitación es grande y con mucha corriente de aire pudiera ser que no le viniera mal poner uno de esos biombos grandes alrededor de la cama, por la noche... Pero, la verdad sea dicha, yo me moriría si tuviera que quedarme aquí, encerrada con toda esa clase de... de "cosas" ¡que asomaran sus cabezas por los lados o por encima del biombo y se pondrían a mirarme!

La imagen que acababa de evocar fue excesiva para sus nervios y huyó sin poderse contener.

Mrs. Dempster lanzó un despectivo resoplido con aires de superioridad, cuando la posadera se fue, e hizo constar que ella, por su parte, no se sentía inclinada a atemorizarse ni ante todos los duendes del Reino.

–Le voy a decir a usted lo que pasa, señor –dijo–; los duendes son toda clase de cosas... ¡menos duendes! Ratas, ratones y escarabajos; y puertas que crujen, y tejas caídas, y pucheros rotos, y tiradores de cajones que aguantan firmes cuando usted tira de ellos y luego se caen solos en medio de la noche. ¡Mire usted el zócalo de la habitación! ¡Es viejo..., tiene cientos de años! ¿Cree que no va a haber ratas y escarabajos ahí detrás? ¡Claro que sí! ¿Y se imagina usted, señor, que se va a pasar sin ver a unas ni a otros? ¡Pues claro que no! Las ratas son los duendes, se lo digo yo, y los duendes son las ratas... ¡y no crea otra cosa!

–Mrs. Dempster –dijo Malcolmson gravemente, haciéndole una pequeña inclinación–. ¡Usted sabe más que un catedrático de Matemáticas! Y permítame decirle que, en señal de mi estimación por su indudable salud mental, le daré, cuando me vaya, posesión de esta casa, y le permitiré residir aquí a usted sola durante los dos últimos meses de mi alquiler, ya que las cuatro primeras semanas serán suficientes para mis propósitos.

–¡Muchas gracias de todo corazón, señor! –repuso ella–. Pero no puedo dormir ni una noche fuera de mi dormitorio. Vivo en la Casa de Caridad de Greenhow, y si pasase una noche fuera de mis habitaciones perdería todos los derechos de seguir viviendo allí. Las reglas son muy estrictas, y hay demasiada gente esperando una vacante para que yo me decida a correr el menor riesgo. Si no fuera por esto, señor, vendría gustosamente a dormir aquí, para atenderle durante su estancia.

–Mi buena señora –dijo Malcolmson apresuradamente–, he venido con el propósito de estar solo, y créame que estoy agradecido al difunto Greenhow por haber organizado su casa de caridad, o lo que sea, en forma tan admirable que a la fuerza me vea privado de tener que soportar tan tremenda tentación. ¡San

Antonio en persona no habría podido pedir más en cuanto a ésta!

La vieja rió ásperamente.

–¡Ah, ustedes los señoritos jóvenes –dijo–, no se asustan de nada! Ya lo creo que encontrara usted aquí toda la soledad que desea.

Se puso a trabajar, a limpiar y, a la caída de la tarde, cuando Malcolmson regresó de dar un paseo –siempre llevaba uno de sus libros para estudiar mientras tanto–, se encontró con la habitación barrida y limpia, un fuego ardiendo en el hogar y la mesa servida para la cena con las excelentes viandas llevadas por Mrs. Witham.

–¡Esto sí que es comodidad! –se dijo, frotándose las manos.

Cuando acabó de cenar y puso la bandeja con los restos de la cena al otro extremo de la gran mesa de roble, volvió a sacar sus libros, arrojó más leña al fuego, despabiló la lámpara y se sumergió en el hechizo de su duro trabajo real. Prosiguió éste, sin hacer pausa alguna, hasta cosa de las once, hora en que lo suspendió durante unos momentos para avivar el fuego y la lámpara y hacerse una taza de té. Siempre había sido aficionado al té; durante su vida de colegio había solido quedarse estudiando hasta tarde, y siempre tomaba té y más té hasta que dejaba de estudiar. Pero lo demás era un lujo para él y gozaba de ello con una sensación de delicioso, voluptuoso desahogo.

El fuego reavivado saltó, chisporroteó y arrojó extrañas sombras en la vasta y antigua habitación, y, mientras se tomaba a sorbos el té caliente, se despertó en él una sensación de aislamiento de sus semejantes. Es que en aquel momento había empezado a notar por primera vez el ruido que hacían las ratas.

–Seguramente –pensó– no han metido tanto ruido durante todo el tiempo que he estado estudiando. ¡De haber sido así me hubiera dado cuenta!

Mientras el ruido iba en aumento se tranquilizó el estudiante diciéndose que aquellos rumores, sin duda, acababan de empezar. Era evidente que al principio las ratas se habían asustado por la presencia de un extraño y por la luz del fuego y de la lámpara; pero a medida que pasaba el tiempo se habían ido volviendo más osadas y ya se hallaban entretenidas de nuevo en sus ocupaciones habituales.

¡Y cuidado que eran activas! ¡Y atentas al menor ruido desacostumbrado! ¡Subían y bajaban por detrás del zócalo que revestía la pared, por encima del cielo raso, por debajo del suelo, se movían, corrían, bullían, royendo y arañando! Malcolmson se sonrió al recordar el dicho de Mrs. Dempster, "los duendes son las ratas y las ratas son los duendes".

El té empezaba a hacer su efecto de estimulante intelectual y nervioso, y el estudiante vio con alegría que tenía ante sí una nueva inmersión en el largo hechizo del estudio antes de que terminase la noche, lo que le proporcionó tal sensación de comodidad que se permitió el lujo de lanzar una ojeada por la habitación. Tomó la lámpara en una mano y recorrió la estancia, preguntándose por qué una casa tan original y hermosa como aquélla habría estado abandonada tanto tiempo.

Los paneles de roble que recubrían la pared estaban finamente labrados. El trabajo en madera de puertas y ventanas era bello y de raro mérito. Había algunos cuadros viejos en las paredes, pero estaban tan espesamente cubiertos de polvo y suciedad, que no pudo distinguir ninguno de sus detalles, a pesar de que levantó la lámpara todo lo posible para iluminarlos. Aquí y allí, en su recorrido, topó con alguna grieta o agujerillo bloqueados de momento por una cabeza de rata, de ojos brillantes que relucían a la luz; pero al instante desaparecía la cabeza, con un chillido y un rumor de huída.

Lo que más intrigó a Malcolmson, sin embargo, fue la cuerda de la gran campana del tejado, que colgaba en un rincón de la habitación, a la derecha de la chimenea. Arrastró hasta cerca del fuego una gran silla de roble tallado y alto respaldo y se sentó a tomarse su última taza de té. Cuando la terminó, avivó el fuego y volvió a su trabajo, sentándose en la esquina de la mesa, con el fuego a la izquierda. Durante un buen rato, las ratas le perturbaron el estudio con su perpetuo rebullir, pero acabó por acostumbrarse al ruido, igual que se acostumbra uno al tic–tac de un reloj o al rumor de un torrente; y así, se sumergió de tal modo en el trabajo, que nada del mundo, excepto el problema que estaba intentando resolver, hubiera sido capaz de hacer mella en él.

Pero, de pronto, y sin haber logrado resolverlo aún, levantó la cabeza: en el aire notó esa sensación inefable que precede al amanecer y que tan temible resulta para los que llevan vidas dudosas. El ruido de las ratas había cesado. Desde luego, tenía la impresión de que había cesado hacía un instante, y que precisamente había sido este súbito silencio lo que le había obligado a levantar la cabeza. El fuego había ido acabándose, pero aún arrojaba un profundo y rojo resplandor. Al mirar en esa dirección, sufrió un sobresalto, a pesar de toda su sangre fría.

Allí, encima de la silla de roble tallado y altas espaldas, a la derecha de la chimenea, estaba una enorme rata que le miraba fijamente con sus tristes ojillos. Hizo un gesto el estudiante como para espantarla, pero ella no se movió. En vista de lo cual, hizo él como si fuera a arrojarle algo. Tampoco se movió, pero le enseñó, encolerizada, sus grandes dientes blancos; a la luz de la lámpara, sus ojillos crueles brillaban con una luz de venganza.

Malcolmson quedó asombrado, y, tomando el hurgón de la chimenea, corrió hacia la rata para matarla. Antes, sin embargo, de que pudiera golpearla, ésta, con un chillido que pareció concentrar todo su odio, saltó al suelo y, trepando por la cuerda de la campana, desapareció en la oscuridad, adonde no llegaba el resplandor de la lámpara, tamizado por una verde pantalla. Instantáneamente, y extraño es decirlo, volvió a comenzar de nuevo el ruidoso bullicio de las ratas tras los paneles de roble.

Esta vez, Malcolmson no pudo volver a sumergirse en el problema; pero, como el gallo cantase en el exterior anunciando la llegada del alba, se fue a la cama a descansar.

Durmió tan profundamente que ni siquiera se despertó cuando llegó Mrs. Dempster para arreglar la habitación. Sólo lo hizo cuando la mujer, después de barrido el cuarto y preparado el desayuno, golpeó discretamente en el biombo que ocultaba la cama. Aún estaba un poco cansado de su duro trabajo nocturno, pero pronto le despabiló una cargada taza de té, y tomando un libro salió a dar su paseo matinal, llevándose también algunos bocadillos, por si no le apetecía volver hasta la hora de la cena. Encontró un paseo apacible entre los olmos, en los alrededores del pueblo, y allí pasó la mayor parte del día, estudiando a Laplace. A su regreso, pasó a saludar a Mrs. Witham y darle las gracias por su amabilidad. Cuando ella le vio llegar –a través de una ventana de su santuario, emplomada con vidrios de colores en forma de rombo–, salió a la calle a recibirle y le rogó que entrase. Una vez dentro, le miró inquisitivamente y movió la cabeza al decir:

–No debe usted trabajar tanto, señor. Está usted esta mañana más pálido que otras veces. Estarse hasta tan tarde y con un trabajo tan duro para el cerebro no es bueno para nadie. Pero dígame, señor, ¿cómo pasó la noche? Espero que bien. ¡No sabe usted cuánto me alegré cuando Mrs. Dempster me dijo esta mañana que le había encontrado tan bien y tan profundamente dormido cuando llegó!

–Oh, sí, perfectamente –repuso él, sonriendo–; todavía no me han molestado los "algos". Sólo las ratas. Son un auténtico batallón, y se sienten como en su propio cuartel. Había una, de aspecto diabólico, que hasta se subió a mi propia silla, junto al fuego; y no se habría marchado, de no haberle yo amenazado con el hurgón; entonces, trepó por la cuerda de la campana y desapareció por allí arriba, por encima de las paredes o el techo; no pude verlo bien, estaba muy oscuro.

–¡Dios nos asista –exclamó Mrs. Witham–, un viejo diablo y sobre una silla junto al fuego! ¡Tenga cuidado, señor! ¡Tenga cuidado! Hay a veces cosas muy verdaderas que se aseguran en broma.

–¿Qué quiere usted decir? Palabra que no comprendo.

–¡Un viejo diablo! El viejo diablo, quizá. ¡Vaya, señor, no se ría! –pues Malcolmson había estallado en francas carcajadas–. Ustedes la gente joven creen que es muy fácil reírse de cosas que hacen estremecer a los viejos. ¡Pero no importa, señor! ¡No haga caso! Quiera Dios que pueda usted seguir riendo todo el tiempo. ¡Eso es lo que yo le deseo! –y la buena señora rebosó de nuevo alegre simpatía, olvidando por un momento sus temores.

–¡Oh, perdóneme! –dijo entonces Malcolmson–. No me juzgue descortés; es que la cosa me ha hecho gracia... eso de que el viejo diablo en persona estaba anoche sentado en mi silla... –y, al recordarlo, volvió a reír. Luego, marchó a su casa a cenar.

Esa noche el rumor de las ratas empezó más temprano; con toda certeza existía ya antes de su regreso, y sólo cesó mientras les duró el susto causado por la imprevista llegada.

Después de cenar, se sentó un momento junto al fuego a fumar y, después de levantar la mesa, empezó a trabajar como otras veces. Pero esa noche las ratas le distraían más que la anterior. ¡Cómo correteaban de arriba abajo, y por detrás y por encima! ¡Cómo chillaban, roían y arañaban! ¡Y cómo, más atrevidas a cada instante, se asomaban a las bocas de sus agujeros y por todas las grietas, hendiduras y resquebrajaduras del zócalo, brillantes los ojillos como lámparas diminutas cuando se reflejaba en ellos el fulgor del fuego! Mas para el estudiante, sin duda ya acostumbrado a ellos, estos ojos no tenían nada de siniestros; al contrario, sólo les notaba un aire travieso y juguetón. A veces, las más atrevidas hacían salidas al piso o a lo largo de las molduras de la pared. Una y otra vez, cuando le empezaban a molestar demasiado, Malcolmson hacía un ruido para asustarlas, golpeaba la mesa con la mano o emitía un fiero "¡Chst! ¡Chts!", de modo que ellas huyesen inmediatamente a sus agujeros.

Así transcurrió la primera mitad de la noche; luego, a pesar del ruido, Malcolmson se fue sumergiendo cada vez más en el estudio.

De repente, levantó la vista, como la noche anterior, dominado por una súbita sensación de silencio. En efecto, no se oía ni el más leve ruido de roer, arañar o chillar. Era un silencio de tumba. Recordó entonces el extraño suceso de la noche precedente, e instintivamente miró a la silla que había junto a la chimenea. Entonces le recorrió por el cuerpo una extraña sensación.

Allí, en la gran silla de roble tallado y alto respaldo, al lado de la chimenea, se hallaba la misma enorme rata que le miraba fijamente con unos ojillos fúnebres y malignos.

Instintivamente tomó el objeto más próximo a su mano, unas tablas de logaritmos, y se lo arrojó. El libro fue mal dirigido y la rata ni se movió; de modo que hubo de repetir la escena del hurgón de la noche anterior; y otra vez la rata, al verse estrechamente cercada, huyó trepando por la cuerda de la campana de alarma. También fue muy extraño que la fuga de esta rata fuese inmediatamente seguida por la reanudación del ruido de la comunidad. En esta ocasión, como en la precedente, Malcolmson no pudo ver por qué parte de la habitación desapareció el animal, pues la pantalla verde de su lámpara dejaba en sombras la parte superior del cuarto, y el fuego brillaba mortecino.

73

Mirando a su reloj, observó que era cerca de medianoche, y, no descontento del *divertissement*, avivó el fuego y se preparó su nocturna taza de té. Había trabajado perfectamente sumergido en el hechizo del estudio y se creyó merecedor de un cigarrillo; así, pues, se sentó en la gran silla de roble tallado, junto a la chimenea, y fumó gozoso.

Mientras lo hacía, empezó a pensar que le gustaría saber por dónde lograba meterse el animal, pues empezaba a acariciar la idea de poner en práctica al día siguiente algo relacionado con una ratonera, una trampa para ratas. En vista de ello, encendió otra lámpara y la colocó de tal forma que iluminase bien el rincón derecho que formaban la chimenea y la pared. Luego apiló todos los libros que tenía y los colocó al alcance de la mano para arrojárselos al animal si llegaba el caso. Finalmente, levantó la cuerda de la campana y colocó su extremo inferior encima de la mesa, pisándolo con la lámpara. Al manejar la cuerda, no pudo por menos de notar cuan flexible era, sobre todo teniendo en cuenta su grosor y el tiempo que llevaba sin usar. "Se podría colgar a un hombre de ella", pensó para sí. Cuando hubo terminado sus preparativos, miró a su alrededor y dijo, complacido:

–¡Ahora, amiga mía, creo que vamos a vernos las caras de una vez!

Reanudó su estudio, y aunque al principio le distrajo algo el ruido que hacían las ratas, pronto se abandonó plenamente a sus proposiciones y problemas.

De nuevo, súbitamente, fue reclamado por su alrededor. Esta vez no había sido sólo el súbito silencio lo que le llamó la atención; había, además, un ligero movimiento de la cuerda, y la lámpara se tambaleaba. Sin moverse, miró a ver si la pila de libros estaba al alcance de su mano y luego deslizó su mirada a lo largo de la cuerda. Mientras miraba, vio que la gran rata se dejaba caer desde la cuerda a la silla de roble, se instalaba en ella y le contemplaba.

Tomó un libro con la mano derecha y, apuntando cuidadosamente, se lo arrojó a la rata. Esta, con rápido movimiento, saltó de costado y esquivó el proyectil. El, entonces, tomó un segundo y luego un tercero, y se los lanzó, uno tras otro, pero sin éxito tampoco en ambas ocasiones. Por fin, y en el momento en que se disponía a arrojarle un nuevo libro, la rata chilló y pareció asustada. Esto aumentó aún más su avidez por dar en el blanco; y el libro voló y alcanzó a la rata con golpe resonante. Lanzó el animal un terrorífico chillido y, echando a su perseguidor una mirada de terrible malignidad, trepó por el respaldo de la silla, desde cuyo borde superior dio un gran salto hasta la cuerda de la campana, por la cual subió con la velocidad del rayo. La lámpara que sujetaba la cuerda se tambaleó bajo el súbito tirón, pero era pesada y no llegó a caer. Malcolmson siguió a la rata con la mirada y la vio, merced a la luz de la segunda lámpara, saltar a una moldura del zócalo y desaparecer, por un agujero, en uno de los grandes cuadros colgados de la pared, invisibles bajo la capa de polvo y suciedad.

–Ya echaré mañana una ojeada a la vivienda de mi amiga –se dijo el estudiante, mientras iba recogiendo los volúmenes tirados por el suelo–. El tercer cuadro a partir de la chimenea. No lo olvidaré –cogió los libros uno a uno, haciendo un comentario sobre ellos a medida que leía sus títulos–. *Secciones del Cono*, ni la rozó, ni tampoco *Oscilaciones cicloides*, ni los *Principios*, ni *Cuaternidades*, ni la *Termodinámica*. ¡Este es el libro que la alcanzó! Malcolmson lo tomó del suelo y miró su título. Al hacerlo, se sobresaltó y una súbita palidez cubrió su cara. Miró a su alrededor, inquieto, y se estremeció levemente mientras murmuraba para sí:

76

–¡La Biblia que me dio mi madre! ¡Qué extraña coincidencia!

Se volvió a sentar y se puso al trabajo; las ratas del zócalo reanudaron sus cabriolas. No le molestaron, sin embargo; de algún modo, su presencia le proporcionaba una cierta sensación de compañía. Pero no pudo concentrarse en el estudio, y, después de esforzarse inútilmente en dominar el tema que tenía entre manos, lo dejó con desesperación y se fue a la cama, mientras el primer resplandor de la aurora penetraba furtivamente por la ventana que daba al Oriente.

Durmió pesada pero desagradablemente y soñó mucho; cuando le despertó Mrs. Dempster, ya muy entrada la mañana, su aspecto era de haber descansado mal, y durante unos pocos minutos no pareció darse cuenta exactamente de dónde se encontraba. Su primer encargo sorprendió bastante a la criada.

–Mrs. Dempster, cuando me ausente hoy de casa, quiero que coja usted la escalera y limpie el polvo o lave esos cuadros... especialmente al tercero a partir de la chimenea... Quiero ver qué representan.

Hasta bien entrada la tarde estuvo Malcolmson en la sombría olmeda, estudiando; a medida que transcurría la jornada, al notar que sus asimilaciones mejoraban progresivamente, le fue volviendo el alegre optimismo del día anterior. Había conseguido ya solucionar satisfactoriamente todos los problemas que hasta entonces le habían burlado, y se hallaba en un estado de alegría tal que decidió hacer una visita a Mrs. Witham en *"El Buen Viajero"*. Encontró a la posadera en un confortable cuarto de estar, acompañada de un desconocido que le fue presentado como el doctor Thornhill. La mujer no parecía hallarse totalmente a gusto, y esto, unido a que éste se lanzase inmediatamente a hacerle una serie de preguntas inopinadas, hizo pensar a Malcolmson que la presencia del doctor no era allí casual, por lo cual dijo sin ambages:

–Dr. Thornhill, contestaré con placer cualquier pregunta que quiera hacerme, si usted primero me contesta a una que deseo hacerle yo.

El doctor pareció sorprendido, pero al momento sonrió y repuso:

–¡Hecho! ¿De qué se trata?

–¿Le pidió a usted Mrs. Witham que viniera aquí a verme y aconsejarme?

El doctor Thornhill quedó un momento desconcertado, y Mrs. Witham enrojeció vivamente y volvió la cara hacia otro lado; pero el doctor era hombre sincero e inteligente y contestó en seguida con franqueza:

–Así lo hizo, en efecto, pero quería que no se enterase usted. Supongo que han sido mi torpeza y mi apresuramiento quienes le han hecho a usted sospecharlo. Pero en fin, lo que me dijo fue que no la agradaba la idea de que usted estuviese en esa casa completamente solo, y tomando tanto té y tan cargado. Efectivamente, deseaba que yo le aconsejase a usted dejar el té y que no se quedara a estudiar hasta muy tarde. Yo también fui buen estudiante en mis tiempos, y por ello espero que me permita tomarme la libertad de darle un consejo sin ofenderle, puesto que no le hablo como un extraño, sino como un universitario puede hablar a otro.

Malcolmson le tendió la mano con sonrisa radiante.

–¡Venga esa mano, que dicen en América! –exclamó–. Le agradezco muchísimo su interés, y también a Mrs. Witham; y su amabilidad me obliga a pagarles en la misma moneda. Prometo no volver a tomar té cargado, ni sin cargar, hasta que usted no me dé permiso. Y esta noche me iré a la cama a la una lo más tarde. ¿De acuerdo?

–Estupendo –dijo el médico–. Ahora cuénteme usted todo lo que ha visto en el viejo caserón.

Acto seguido relató Malcolmson con todo detalle cuánto en las dos últimas noches le sucedió. Fue interrumpido de vez en cuando por las exclamaciones de Mrs. Witham, hasta que, finalmente, al llegar al episodio de la Biblia toda la emoción reprimida de la posadera encontró salida en un tremendo alarido, y hasta que no se le administró un buen vaso de coñac con agua, no se recompuso. El doctor Thornhill lo escuchó todo con expresión de creciente gravedad, y cuando la narración llegó a su fin y Mrs. Witham quedó tranquila, preguntó:

–¿La rata siempre trepa por la cuerda de la campana de alarma?

–Siempre.

–Supongo que ya sabrá usted –dijo el doctor tras una pausa—qué es esa cuerda.

–¡No!

–Es –dijo el doctor lentamente– la misma que utilizaba el verdugo para ahorcar a las víctimas del cruel juez.

Al llegar a este punto, fue interrumpido de nuevo por otro grito de Mrs. Witham, y hubo que poner otra vez en juego los medios para que volviera a recobrarse. Malcolmson, después de consultar su reloj, y observando que ya era casi hora de cenar, se marchó a su casa, no bien ella se hubo recobrado.

Cuando Mrs. Witham volvió a su ser del todo, asaetó al doctor Thornhill con cólericas preguntas sobre qué pretendía al meterle tan horribles ideas en la cabeza al pobre joven.

–Ya tiene allí demasiadas preocupaciones –añadió.

El doctor Thornhill replicó:

–¡Mi querida señora, mi propósito es muy distinto! Lo que yo deseaba era atraer su atención hacia la cuerda de la campana y mantenérsela fija allí. Puede que se halle en un estado de gran sobreexcitación, por haber estudiado demasiado, o por lo que fuere, pero, sin embargo, me veo obligado a reconocer que parece un joven tan sano y fuerte, mental y corporalmente, como el que más... Pero luego están las ratas... y esa sugerencia del diablo... –el doctor movió la cabeza y prosiguió–; me habría ofrecido a ir y pasar la noche con él, pero estoy seguro de que eso le habría humillado. Debe ser que por la noche sufre algún extraño terror o alucinación, y si es así, deseo que tire de esa cuerda. Como está completamente solo, eso nos servirá de aviso y podremos llegar hasta él a tiempo aún de serle útiles. Me mantendré despierto esta noche hasta muy tarde, y tendré los oídos bien abiertos. No se alarme usted si Benchurch recibe una sorpresa antes de mañana.

–Oh, doctor, ¿qué quiere usted decir? ¿Qué quiere usted decir?

–Quiero decir esto: que posiblemente, o mejor dicho, probablemente, oigamos esta noche la gran campana de alarma de la Casa del Juez –y el doctor hizo un mutis tan efectista como era de esperar por sus palabras.

Cuando Malcolmson llegó a su casa se encontró con que era un poco más tarde que de costumbre y que Mrs. Dempster se había marchado ya. Las reglas de la Casa de Caridad de Greenhow no eran de desdeñar. Se alegró de ver que el lugar estaba limpio y reluciente, encendido un alegre fuego en la chimenea y bien despabilada la lámpara. La tarde era muy fría para el mes de abril y soplaba un viento pesado con una violencia tan rápidamente creciente que se podía prever una buena tormenta para la noche.

El ruido de las ratas cesó durante unos pocos minutos después de su llegada; pero, tan pronto como se volvieron a acostumbrar a su presencia, lo reanudaron. Se alegró de oirlas, y una vez más notó que en su bullicioso rumor había algo que le hacía sentirse acompañado. Sus recuerdos retrocedieron hasta el extraño hecho de que las ratas sólo cesaban de manifestarse cuando aquella otra –la gran rata de ojillos fúnebres– entraba en escena.

Sólo estaba encendida la lámpara de lectura, y su pantalla verde mantenía en sombras el techo y la parte superior de la habitación, de tal modo que la alegre y rojiza luz del hogar se extendía, cálida y agradable, por el pavimento y brillaba sobre el blanco mantel que cubría el extremo de la mesa. Malcolmson se sentó a cenar con buen apetito y espíritu vivaz. Después de cenar y fumar un cigarrillo se entregó firmemente al trabajo, determinado a que nada le distrajese, pues recordaba la promesa hecha al doctor y estaba decidido a aprovechar lo mejor posible el tiempo disponible.

Durante una hora o así trabajó sin inconvenientes, y luego sus pensamientos empezaron a despegarse de los libros y a vagabundear por su cuenta. Las actuales circunstancias en que se hallaba, la llamada de atención sobre su salud nerviosa, no eran de despreciar. Para entonces el viento se había convertido en vendaval, y el vendaval en tormenta. La vieja casona, pese a su solidez, parecía estremecerse desde sus cimientos, y la tormenta rugía y bramaba a través de las múltiples chimeneas y los viejos aleros, produciendo extraños y aterradores sonidos en las estancias y pasillos vacíos. Incluso la gran campana del tejado debía estar sufriendo los embates del viento, pues la cuerda subía y bajaba levemente, como si la campana se estuviera moviendo un poco, y el extremo inferior de la flexible cuerda azotaba el suelo de roble con un ruido duro y seco.

Al escucharlo, Malcolmson se acordó de las palabras del doctor: "Es la cuerda que utilizaba el verdugo para ahorcar a las víctimas del cruel Juez". Se acercó al rincón de la chimenea y la tomó en sus manos para contemplarla. Parecía sentir una especie de morboso interés por ella, y mientras la estuvo contemplando se perdió un momento en conjeturas sobre quiénes habrían sido esas víctimas y sobre el lúgubre deseo del Juez de tener siempre ante su vista una reliquia tan macabra. Mientras estaba allí, el balanceo de la campana del tejado había seguido comunicando a la cuerda cierto movimiento; pero ahora, de pronto, empezó a notar una nueva sensación, una especie de temblor en la cuerda, como si algo se fuese moviendo a lo largo de ella.

Levantando la vista instintivamente, vio Malcolmson a la enorme rata que bajaba lentamente hacia él, mirándole fijamente. Soltó la cuerda y retrocedió vivamente, mascullando una maldición; la rata, dando la vuelta, trepó de nuevo por la cuerda y desapareció; y en ese instante Malcolmson se dio cuenta de que el ruido de las ratas, que había cesado un momento, volvía a comenzar.

Todo esto le dejó pensativo; entonces se acordó de que no había investigado la madriguera de la rata ni mirado los cuadros, como había pensado hacer. Encendió la otra lámpara, que no tenía pantalla, y alzándola, se colocó frente al tercer cuadro a la derecha de la chimenea, que era por donde había visto desaparecer a la rata la noche anterior.

A la primera ojeada, retrocedió, tan bruscamente sobresaltado que casi dejó caer la lámpara, y una mortal palidez cubrió sus facciones. Entrechocaron sus rodillas, pesadas gotas de sudor afluyeron a su frente, y tembló como un álamo. Pero era joven y animoso, y consiguió de nuevo armarse de valor. Tras una pausa de pocos segundos, avanzó de nuevo unos pasos, alzó la lámpara y examinó el cuadro, que había sido desempolvado y lavado y era ya claramente distinguible.

Era el retrato de un juez vestido de púrpura y armiño. Su rostro era fuerte y despiadado, maligno, astuto y vengativo, con boca sensual y nariz ganchuda de encendido color y forma semejante al pico de un ave de presa. El resto de la cara era de un color cadavérico. Los ojos, de un brillo peculiar, tenían una expresión terriblemente maligna. Al contemplarlos, Malcolmson sintió frío, pues en ellos vio una verdadera réplica a los ojos de la enorme rata. Casi se le cayó la lámpara de la mano al ver a ésta mirándole con sus ojillos fúnebres desde el agujero de la esquina del cuadro y al notar el súbito cese del ruido de las demás. Sin embargo, volvió a reunir todo su valor y prosiguió el examen de la pintura.

El Juez estaba sentado en una gran silla de roble tallado y alto respaldo, a la derecha de una gran chimenea de piedra, junto a la cual colgaba una cuerda desde el techo, yaciendo en el suelo su extremo infe-

85

rior enrollado. Con una sensación de horror, Malcolmson reconoció en ese escenario la habitación en que se hallaba, y miró despavorido a su alrededor como si esperase hallar alguna extraña presencia a su espalda. Luego volvió a dirigir su mirada al rincón que formaba la chimenea, y dando un grito desgarrado dejó caer la lámpara que llevaba en la mano.

Allí, en la silla del Juez, con la cuerda colgando tras ella, se había instalado aquella rata que tenía la misma fúnebre mirada que éste, ahora diabólicamente intensa. Excepto el ulular de la tormenta, todo estaba en silencio.

La lámpara caída hizo que Malcolmson volviera a la realidad. Afortunadamente era de metal y no se derramó el aceite. Sin embargo, la necesidad inmediata de recogerla serenó en seguida sus aprensiones nerviosas. Cuando hubo apagado la lámpara, se secó el sudor de las cejas y meditó un momento.

–Esto no puede ser –se dijo–. Si sigo así me voy a volver loco. ¡Basta ya! Prometí al doctor que no tomaría té. ¡Por Dios, que tenía razón! Mis nervios han debido llegar a un estado terrible. Tiene gracia que yo no lo note. Nunca en mi vida me he encontrado mejor. Pero ahora todo va bien ya, y no volveré a comportarme como un necio.

Entonces se preparó un buen vaso de brandy y se sentó resueltamente para proseguir su estudio

Llevaba así cosa de una hora, cuando levantó la vista del libro, atraído por el súbito silencio. Sin embargo, el viento ululaba y rugía más fuerte que nunca, y la lluvia caía en turbiones contra los vidrios de las ventanas, golpeándolos como si fuera granizo; pero en el interior no se oía nada, excepto el eco del viento bramando por la gran chimenea, como en arrullo de la tormenta. El fuego se había casi apagado; ardía ya sin llama, arrojando sólo un resplandor rojizo.

Malcolmson escuchó atentamente y entonces oyó un tenue, chirriante ruido, casi inaudible. Provenía del rincón de la estancia donde colgaba la cuerda, y el estudiante pensó que debía producirlo el roce de la cuerda contra el suelo cuando el balanceo de la campana la hacía subir y bajar.

Sin embargo, al mirar hacia allí, vio, a aquella luz mortecina, que la rata, agarrada a la cuerda, la estaba royendo. La cuerda estaba ya casi roída por entero; se podía ver un color más claro en el punto donde las hebras internas habían quedado ya al descubierto. Mientras miraba, la tarea fue completada y la cuerda cayó con un chasquido sobre el piso de roble, al tiempo que, durante un instante, la gran rata permanecía colgada, como una monstruosa borla o campanilla, del cabo superior, que ahora empezó a balancearse de un lado a otro.

Malcolmson sintió por un momento otro brote brusco de terror al caer en la cuenta de que la posibilidad de comunicarse con el mundo exterior y pedir auxilio quedaba ya cortada, pero este sentimiento en seguida fue reemplazado por una intensa cólera, y agarrando el libro que estaba leyendo lo arrojó contra la rata. El tiro iba bien dirigido, mas antes de que el proyectil pudiera alcanzarla, ésta se dejó caer y aterrizó en el suelo con un blando sonido. Malcolmson se abalanzó instantáneamente sobre ella, pero el animal salió disparado y desapareció en las sombras de la estancia.

Malcolmson comprendió que el estudio había terminado, por aquella noche al menos, y decidió alterar la monotonía de su vida por medio de una cacería de rata; quitó la pantalla verde de la lámpara para asegurarse un mayor radio de acción de la luz. Al hacerlo, se disolvieron las tinieblas de la parte superior de la estancia y ante aquella invasión de luz, cegadora en comparación con la oscuridad anterior, los cuadros de la pared se destacaron netamente.

Desde donde estaba, veía Malcolmson, justo enfrente de sí, el tercero a la derecha de la chimenea. Se frotó sorprendido los ojos, y luego un gran miedo empezó a invadirle.

En el centro del cuadro había un espacio vacío, grande e irregular, en el que se veía el lienzo pardo tan limpio como cuando lo colocaron en el bastidor. El fondo del cuadro estaba como antes, con la silla, el rincón de chimenea y la cuerda, pero la figura del Juez había desaparecido.

89

Malcolmson, casi muerto de horror, fue girando lentamente, y entonces empezó a estremecerse y a temblar como un paralítico. Su fuerza parecía haberle abandonado, dejándole incapaz de hacer el menor movimiento o acción; incluso apenas era capaz de pensar. Sólo podía ver y oír.

Allí, en la gran silla de roble de alto respaldo, estaba sentado el Juez con su ropaje de púrpura y armiño, los fúnebres ojos brillándole vengativamente, una sonrisa de triunfo en la boca, resuelta y cruel, mientras que sus manos sostenían un negro birrete.

Malcolmson notó que la sangre huía de su corazón, igual que se siente en los momentos de ansiedad prolongada. Le pitaban los oídos. Sin embargo, podía oír el bramar y aullar de la tempestad, y, a su través, deslizándose sobre ella, le llegaron las campanadas de medianoche, en grandes repiques, desde la plaza del mercado. Durante un tiempo que se le antojó interminable, permaneció inmóvil como una estatua, sin respiración, con los ojos desorbitados, heridos de horror. A medida que iba sonando el reloj, se intensificaba la sonrisa de triunfo en la cara del Juez, y cuando hubo sonado la última campanada de medianoche, se colocó su negro birrete en la cabeza.

Lenta y deliberadamente, el Juez se levantó de su asiento y cogió el trozo de cuerda que yacía en el suelo, lo palpó con sus manos como si su contacto le produjese placer, y luego, deliberadamente, empezó a anudar uno de sus extremos hasta hacer un nudo. Apretó y comprobó éste con el pie, tirando de él fuertemente hasta que quedó satisfecho, y entonces lo transformó en un nudo corredizo, que alzó en su mano. Después comenzó a moverse, a lo largo de la mesa, por el lado opuesto a donde se encontraba Malcolmson, con la mirada fija en él, hasta que le adelantó; entonces, con rápido movimiento, se colocó ante la puerta.

Malcolmson, en ese momento, se empezó a dar cuenta de que había caído en una trampa e intentó pensar qué debía hacer. Había cierta fascinación en los ojos del Juez que no apartaba de él, y que él se veía forzado a mirar. Vio que el Juez se le aproximaba –sin dejar de mantenerse entre la puerta y el joven–, levantaba el lazo y lo arrojaba en su dirección como para capturarle. Con un gran esfuerzo, hizo un rápido movimiento lateral y vio cómo la cuerda caía a su lado y la oyó golpear el suelo de roble. De nuevo levantó el Juez el nudo y trató de cazarle, sin apartar sus fúnebres ojos de él, y el estudiante consiguió evitarlo mediante un poderoso esfuerzo. Esto se repitió muchas veces, sin que el Juez pareciera desanimarse o desconcertarse por sus fracasos, sino más bien gozarse como un gato con un ratón.

Por fin, en la cumbre de su desesperación, Malcolmson arrojó una rápida mirada a su alrededor. La lámpara parecía reavivada y una luz brillante inundaba la habitación. En las numerosas madrigueras y en las grietas y agujeros del zócalo, vio los ojos de las ratas; y esta visión, que fue puramente física, le proporcionó un destello de bienestar. Miró y vio que la cuerda de la gran campana de alarma estaba plagada de ratas. Cada pulgada estaba cubierta de ellas, y cada vez salían más a través del pequeño agujero circular del techo, de donde emergía, de modo que, bajo su peso, la campana empezaba a oscilar.

¡Ay! Osciló hasta que el badajo llegó a tocarla. El sonido fue muy tenue, pero ella no había sino comenzado su vaivén, y ya iría aumentando la potencia del tañido.

Al oirse éste, el Juez, que había mantenido fijos sus ojos en Malcolmson, los levantó y un gesto de diabólica ira contrajo sus rasgos. Sus ojos relucieron como carbones encendidos, y golpeó el suelo con el pie, haciendo un ruido que pareció estremecer toda la casa. El pavoroso estruendo de un trueno rompió sobre sus cabezas cuando el Juez volvió a levantar el lazo, mientras las ratas seguían subiendo y bajando por su cuerda, como si luchasen contra el tiempo.

Pero esta vez, en vez de arrojarlo, se fue aproximando a su víctima y fue abriendo el lazo a medida que se aproximaba. Al estar cerca, pareció irradiar algo paralizante con su sola presencia, y Malcolmson permaneció rígido como un cadáver. Sintió los helados dedos del Juez en la garganta mientras le ajustaba el lazo. El nudo se apretó. Entonces el Juez, tomando en sus brazos el rígido cuerpo del estudiante, lo levantó y colocó en pie sobre la silla de roble y, subido junto a él, alzó su mano y cogió el extremo de la oscilante cuerda de la campana de alarma. Al alzarla, las ratas huyeron chillando y desaparecieron por el agujero del techo. Tomando el extremo del lazo que rodeaba el cuello de Malcolmson, lo ató a la cuerda que colgaba de la campana, y entonces, descendiendo de nuevo al piso, quitó la silla de allí.

Al comenzar a sonar la campana de alarma de la Casa del Juez, se congregó en seguida un gran gentío. Aparecieron luces y antorchas de varias clases, y silenciosamente la multitud se encaminó, presurosa, hacia allí. Golpearon fuertemente la puerta, pero no hubo respuesta. Entonces la echaron abajo y penetraron en el gran comedor; el doctor iba a la cabeza de todos.

Del extremo de la cuerda de la gran campana de alarma pendía el cuerpo del estudiante; y en el cuadro, la cara del Juez mostraba una sonrisa maligna.

·

Bram Stoker (1847–1912). Escritor irlandés. Estudió en el Trinity College de Dublín, fue campeón universitario de atletismo y presidente de la Sociedad Filosófica. Se dice que escribió *Drácula*, tal vez una de los más famosos personajes terroríficos de todos los tiempos, por una apuesta con el célebre actor Sir Henry Irving. Está muy influido por Le Fanu; este cuento está inspirado en uno suyo. Todas sus obras conocidas son novelas y cuentos de terror. Entre ellas destacan *The Lady of the Shroud, The Mystery of the Sea, The Jewel of the Seven Stars* y *The Lair of the White Worm*.

LA "VENDETTA"

GUY DE MAUPASSANT

La viuda de Paolo Saverini vivía sola con su hijo en una pobre casita junto a las murallas de Bonifacio. La ciudad, construida en un saliente de la montaña, colgada incluso en algunos puntos sobre el mar, mira, por encima del estrecho erizado de escollos, hacia la costa más baja de Cerdeña. A sus pies, por el otro lado, contorneándola casi por entero, un corte del acantilado, que parece un gigantesco corredor, le sirve de puerto y lleva hasta las primeras casas, tras un largo circuito entre dos abruptas murallas, los barquitos de pesca italianos o sardos y, cada quince días, el viejo vapor asmático que hace el servicio de Ajaccio.

Sobre la blanca montaña, el montón de casas pone una mancha aún más blanca. Semejan nidos de pájaros salvajes, así colgadas del peñasco, dominando ese pasaje terrible por el que no se aventuran los navíos. El viento, sin tregua, azota el mar, azota la costa desnuda, socavada por él, apenas revestida de hierba; se precipita en el estrecho. Las estelas de pálida espuma, enganchadas en las puntas negras de las innumerables rocas que hienden por doquier las olas, semejan jirones de tela flotantes y palpitantes en la superficie del agua.

La casa de la viuda Saverini, soldada al mismo borde del acantilado, abre sus tres ventanas a este horizonte salvaje y desolado.

Vivía allí, sola, con su hijo Antonio y su perra *Pizpireta*, un gran animal flaco, de pelaje largo y áspero, de la raza de los guardianes de rebaños. Le servía al joven para cazar.

Una noche, tras una disputa, Antonio Saverini fue matado a traición, de un navajazo, por Nicolás Ravolati, quien esa misma noche escapó a Cerdeña.

Cuando la anciana madre recibió el cuerpo de su hijo, que le llevaron unos transeúntes, no lloró, pero permaneció largo rato inmóvil, mirándolo; después, extendiendo su mano arrugada sobre el cadáver, le prometió una *vendetta*[1]. No quiso que nadie se quedase con ella, y se encerró junto al cuerpo con la perra, que aullaba. El animal aullaba de manera continua, a

1 Vendetta: venganza.

los pies de la cama con la cabeza tendida hacia su amo, y el rabo apretado entre las patas. No se movía, como tampoco la madre que, inclinada ahora sobre el cuerpo, mirándolo de hito en hito, lloraba con gruesas lágrimas mudas mientras lo contemplaba.

El joven, de espaldas, vestido con su chaqueta de paño grueso agujereada y desgarrada en el pecho, parecía dormir; pero tenía sangre por todas partes: en la camisa arrancada para los primeros auxilios, en el chaleco, en los calzones, en la cara, en las manos. Coágulos de sangre se habían cuajado en la barba y el pelo.

La anciana madre empezó a hablarle. Al rumor de aquella voz, la perra se calló.

–Anda, anda, serás vengado, pequeño mío, hijo mío, mi pobre niño. Duerme, duerme, serás vengado, ¿me oyes? ¡Tu madre te lo promete! Y cumple siempre su palabra, tu madre, lo sabes muy bien.

Y lentamente se inclinó sobre él, pegando sus labios fríos a los labios muertos.

Entonces *Pizpireta* reanudó sus gemidos. Lanzaba una larga queja monótona, desgarradora, horrible.

Así estuvieron, los dos, la mujer y el animal, hasta la mañana.

97

Antonio Saverini fue enterrado al día siguiente, y pronto ya nadie habló de él en Bonifacio.

No había dejado hermanos ni primos carnales. No había ningún hombre para llevar a cabo la *vendetta*. Sólo su madre pensaba en ella, pobre vieja.

Al otro lado del estrecho, veía de la mañana a la noche un punto blanco en la costa. Era una aldehuela sarda, Longosardo, donde se refugiaban los bandidos corsos acosados muy de cerca. Pueblan casi solos ese villorrio, frente a las costas de su patria, y esperan allá el momento de regresar, de volver para echarse al monte. En aquel pueblo, ella lo sabía, se había refugiado Nicolás Ravolati.

Completamente sola, a lo largo de todo el día, sentada en su ventana, miraba hacia allá abajo pensando en la venganza. ¿Cómo se las arreglaría ella, sin nadie, achacosa, tan cerca de la muerte? Pero lo había prometido, lo había jurado sobre el cadáver. No podía olvidar, no podía esperar. ¿Que haría? Ya no dormía de noche, ya no tenía reposo ni sosiego, buscaba, obstinada. La perra, a sus pies, dormitaba, y a veces, alzando la cabeza, aullaba hacia la lejanía. Desde que su amo no estaba, a menudo aullaba así, como si lo llamase, como si su alma de animal, inconsolable, hubiera también guardado ese recuerdo que nada borra.

Una noche, cuando *Pizpireta* reanudaba sus gemidos, la madre, de repente, tuvo una idea, una idea vengativa y feroz. La meditó hasta el alba; después, levantándose al rayar el día, se dirigió a la iglesia. Rezó, arrodillada en el pavimento, abatida ante Dios, suplicándole que la ayudase, que la sostuviese, que diera a su pobre cuerpo gastado la fuerza que necesitaba para vengar a su hijo.

99

Después volvió a su casa. Tenía en el patio un viejo barril desfondado, que recogía el agua de la canaleta; le dio la vuelta, lo vació, lo sujetó al suelo con estacas y piedras; después, encadenó a *Pizpireta* a aquella perrera improvisada, y entró en la casa.

Caminaba ahora, sin descanso, por su habitación, los ojos siempre clavados en la costa de Cerdeña. Allá abajo estaba el asesino.

La perra aulló todo el día y toda la noche. La vieja, por la mañana, le llevó agua en un cuenco; pero nada más: ni comida, ni pan.

Transcurrió un día entero. *Pizpireta*, extenuada, dormía. Al día siguiente, tenía los ojos brillantes, el pelaje erizado, y tiraba locamente de la cadena.

La vieja tampoco le dio nada de comer. El animal enfurecido, ladraba con voz ronca. Pasó una noche más.

Entonces, ya amanecido, la señora Saverini fue a casa de su vecino, a pedirle que le diera dos haces de paja. Cogió unas viejas ropas de su marido, y las rellenó de forraje para simular un cuerpo humano.

Habiendo clavado un palo en el suelo, delante de la perrera de *Pizpireta*, ató a él aquel maniquí, que así parecía estar de pie. Después hizo la cabeza por medio de un paquete de ropa vieja.

La perra, sorprendida, miraba aquel hombre de paja, y callaba, aunque estaba devorada por el hambre.

Entonces la anciana fue a comprar en la salchichería un largo pedazo de morcilla. Al volver a casa, encendió un fuego de leña en el patio, cerca de la perrera, y asó la morcilla. *Pizpireta*, enloquecida, daba saltos, echaba espuma, con los ojos clavados en la parrilla, cuyo aroma penetraba en su vientre.

Después, la vieja convirtió la morcilla en una corbata para el hombre de paja. La ató fuertemente con cuerdas en torno al cuello, como para metérsela dentro. Cuando acabó, soltó a la perra.

De un formidable salto el animal alcanzó la garganta del maniquí y, con las patas sobre sus hombros, empezó a desgarrarla. Se dejaba caer, con un trozo de su presa en el hocico, y luego se lanzaba de nuevo, hundía los colmillos en las cuerdas, arrancaba algunas porciones de comida, volvía a dejarse caer, y saltaba de nuevo, encarnizada. Deshacía el rostro a grandes dentelladas, hacía jirones el cuello entero.

La anciana, inmóvil y muda, la miraba, con ojos encendidos. Después volvió a encadenar al animal, lo tuvo en ayunas dos días, y recomenzó aquel extraño ejercicio.

Durante tres meses, la acostumbró a esta especie de lucha, a esta comida conquistada con los colmillos. Ahora ya no la encadenaba, limitándose a lanzarla con un ademán sobre el maniquí.

Le había enseñado a desgarrarlo, a devorarlo, incluso sin que en su garganta se ocultara el menor alimento. A continuación le daba, como recompensa, la morcilla asada por ella.

En cuanto veía al hombre, *Pizpireta* se estremecía, después volvía los ojos a su ama, que le gritaba: "¡Hale!" con voz silbante, alzando un dedo.

Cuando consideró que había llegado el momento, la señora Saverini fue a confesarse y comulgó una mañana de domingo, con un fervor extático.

Después, vistiéndose con ropas de hombre, como un pobre viejo andrajoso, contrató a un pescador sardo, que la condujo, acompañada por su perra, al otro lado del estrecho.

Llevaba, en una bolsa de tela, un gran trozo de morcilla. *Pizpireta* estaba en ayunas desde hacía dos días. La anciana le dejaba olfatear el oloroso alimento y la excitaba.

Entraron en Longosardo. La corsa marchaba cojeando. Se presentó en una panadería y preguntó por la casa de Nicolás Ravolati. Este había reanudado su antiguo oficio, el de carpintero. Trabajaba solo al fondo de su taller.

La vieja empujó la puerta y lo llamó:

–¡Eh! ¡Nicolás!

El se volvió; entonces, soltando a la perra, ella gritó:

–Hale, hale, ¡come, come!

El animal, enloquecido, se abalanzó sobre él, se le enganchó a la garganta. El hombre extendió los brazos, lo estrechó, rodó por el suelo. Durante unos segundos se retorció, golpeando el suelo con los pies; después se quedó inmóvil, mientras *Pizpireta* hurgaba en su cuello, que arrancaba a jirones.

Dos vecinos, sentados ante sus puertas, recordaron perfectamente haber visto salir a un anciano pobre con un perro negro y flaco que comía, mientras caminaba, una cosa marrón que le daba su amo.

La anciana había vuelto a su casa por la tarde. Y esa noche, durmió bien.

Guy de Maupassant (1850–1893). Novelista y cuentista francés. Escribió varias novelas y más de 300 cuentos. Aunque fue un escritor famoso en su tiempo, siempre rehuyó la popularidad. Entre sus principales cuentos podemos destacar *La maison Tellier, Bel ami, La horla, Nuestro corazón...*

ÍNDICE

Presentación   5

Joseph Leridan Le Fanu
    El asedio a la casa roja   9

Washington Irving
    Aventuras de un estudiante alemán . . .   23

Edgar Allan Poe
    El gato negro   35

Bram Stoker
    La casa del Juez   55

Guy de Maupassant
    La "vendetta"   95